# 그대여! 돼지우리에서 벗어나라

(Escape hogpen)

그대여! 돼지우리에서 벗어나라

**발 행** | 2024년 05월 14일
**저 자** | 정대웅
**펴낸이** | 한건희
**펴낸곳** | 주식회사 부크크
**출판사등록** | 2014.07.15(제2014-16호)
**주 소** | 서울특별시 금천구 가산디지털1로 119 SK트윈타워 A동 305호
**전 화** | 1670-8316
**이메일** | info@bookk.co.kr

ISBN | 979-11-410-8496-7

www.bookk.co.kr

# 그대여 돼지우리에서 벗어나라

정대웅 지음

# CONTENT

연봉 1 억 회사를 뛰쳐나와 자유로운 영혼이 되어 살아가기 원하는 필자의 회사 경험을 통해 이 시대를 살아가는 직장인의 고통과 아픔을 위로하고, 돼지우리 밖을 나오기 전까지의 필자의 회사 경험을 공유하고 돼지우리 밖으로 나와서의 새로운 삶의 도전을 공유하고자 한다.

***저자의 돼지우리 theory:**
100세 시대의 우리의 삶의 일부인 돼지우리(직장)에서 꿀꿀이죽(급여마약)에 묶여 살아가는 이 시대의 돼지(직장인)들이 경험이 쌓이고 준비가 되었을 때는 돼지우리 밖(사회)으로 나와서 본인만의 제2의 새로운 삶을 살아가야 한다는 이론

## [작가 프로필]

배화여대 겸임교수와 어센틱아우라(컨설팅) 대표로 활동하고 있으며 대기업 화장품 회사에 17년간 근무하며 글로벌 주재원으로 호주와 중국에서 근무한 경험이 있다. 현재 연세대학교 MBA를 졸업하고 고려대학교 일반대학원 교육학과에서 박사과정을 이수하고 있다.

이 책은 반복적인 삶을 살아가고 있는 직장인들에게 저자가 17년동안 회사생활을 하면서 느낀 경험과 지혜를 스토리로 소개하고 돼지우리(직장)에서 탈출하는 그날까지 버틸 수 있는 경험과 준비사항에 대해서 실제 회사 생활에서 경험한 이야기를 독자들에게 공유하고자 한다. 연봉 1억을 주는 안정적인 직업을 뛰쳐나와 강의와 박사과정을 동시에 진행하는 저자가 전해주는 스토리로 많은 현대의 직장인들이 고민하는 문제를 저자의 경험을 통해 episode와 tip 형식으로 공유하고자 한다.

# Intro 머리말

대부분의 사람들은 아침에 출근하고 저녁에 퇴근하는 쳇바퀴 도는 삶을 살아가고 있다. 모두가 그렇게 살아가고 있으니 여러분도 당연히 그렇게 살아야 한다고 주변인들에게 강요 받고 있다. 우리는 항상 부모, 와이프 등 주변 사람들이 보는 시선 때문에 본인이 원하는 삶을 살아가지 못하고 있다. "우리 아들은 대기업에서 일하고 있어" "우리 남편은 대기업 부장이야" 하며 주변사람들은 당신을 주변에 자랑하고 있다. 우리는 이러한 외부의 인식과 가족의 생계를 위해야 한다는 목적성을 핑계로 나의 소중한 시간을 매월 입금되는 급여 마약과 트레이드 하며 살아가고 있다. 소중한 시간을 팔아서 수입을 얻고 있는 것이다. 반대로 자유를 위해서는 우리는 반드시 돈을 지불해야 하는 아이러니를 겪을 수 밖에 없을 것이다. 물론 현재의 MZ 세대들은 지금의 행복에 충실할지도 모르겠지만 대부분의 직장인들은 현재의 행복이 아닌, 미래의 행복을 위해 지금의 시간을 돼지우리(회사)를 위해 팔고 있는 것이다. 작은 돼지우리(중소기업)에서 큰 돼지우리(대기업)로 이동해서 더 많은 꿀꿀이 죽을 먹고 싶어하고, 좀 더 좋은 안식처에서 살기위해 죽을 힘을 다해서 일하고 있다. 우리는 돼지우리에서 우두머리가 되기 위해 끊임없이 노력한다. 한 돼지우리 동료가 얘기한다. 저 울타리를 넘어서 나가면 늑대들이 너를 곧 잡아먹을 것이니, 안전한 돼지우리 울타리 안에서 매월 주는 꿀꿀이 죽을 모으면 잘 살 수 있고, 언젠가는 너도 돼지우리 우두머리가 될 수 있다고 다독여 줄 것이다. 이 책을 읽고 있는 누군가는 동의할 것이며 이 말이 맞는 말일지도 모른다. 드라마에서도 자주 등장한 얘기처럼 돼지우리는 전쟁터이고 돼지우리 밖은 지옥일지 모른다.

저자는 돼지우리 안에서 인내심과 참을성을 배웠고 돼지우리 밖으로 탈출하는데 정확히 16년 6개월이 걸렸다. 모든 준비가 완벽해서 돼지우리를 탈출한 것은 아니다. 연봉 1억이 넘는 안정적인 직장을 나와서 불확실한 미래에 투자하는 이유는 우리의 시간은 유한하다는 것이다. 최근 2년간 직장생활을 하면서 저자는 본인이 아닌 타인을 위해서 투자하는 시간이 너무나도 아까웠다. 본인을 위해 시간을 사용해야 한다는 생각은 점점 더 강해졌고, 회사생활이 항상 즐겁지는 않았지만 행복하지 않은 나의 모습을 더 많이 느끼게 되면서 돼지우리를 탈출해야 한다고 결심했다.

사람들의 욕심은 끝이 없는 것 같다. 결혼을 하고 자녀를 낳고 모두 집을 소유하고 싶어한다. 집이 생기면 노후자금도 준비해야 하고 자녀 학비, 결혼까지 생각하면 끝이 없는 꿀꿀이 죽(자금)을 준비해야 한다. 본인의 시간은 점점 소비되고 언젠가 늙은 돼지가 되었을 때, 여러분은 당신의 온전한 시간을 보낼 것이라고 다짐한다. 늙은 돼지는 포르쉐를 타고 호텔에서 맛있는 식사를 하고 있을 것이다. 이러한 미래의 모습을 상상해 보면 전혀 멋있어 보이지 않는다. 금전적으로 풍족하지 않더라도 당신이 원하는 모습을 그려야 한다. 돼지우리 밖은 진짜 늑대가 우글거려서 금방 잡아 먹힐까? 돼지우리 밖에서는 어떤 일을 여러분이 잘 할 수 있을까? 여러분이 소유한 작은 돼지우리를 스스로 만들 수 있을까? 많은 독자들이 저자와 같이 지금도 스스로에게 자문하고 있을 것이다.

한가지 분명한 것은 현재의 시간이 돈보다 중요하다는 것이다. 자유를 얻기 위해서는 돈을 포기해야 한다. 하나를 얻으면 하나를 잃는 것은 자연의 이치다. 우리는 돼지우리 안에서 경험과 인내심을 배우고, 재정적인 준비를 해서 개인의 따라 차이가 있겠지만 본인이 하고 싶은 인생을 꼭 살아가야 할 것이다. 왜냐면 당신의 인생은 단 한번 뿐이기 때문이다. 지금의 시간은 다시 돌아오지 않을 것을 명심해야 한다.

저자가 애기하고자 하는 것은 무조건 돼지우리밖으로 나가라는 뜻이 아니다. 돼지우리 밖으로 나갈 준비를 하기 위해서는 돼지우리에서 꿀꿀이 죽을 먹어야 하고, 더럽고 치사한 일이 벌어지더라도 우리는 인내심과 참을성으로 묵묵히 버텨야 할 것이다. 저자의 회사 입사 전, 입사 후 호주와 중국에서 주재원 생활을 하면서 어떻게 회사생활을 버텨왔고, 어떠한 계기를 통해서 돼지우리 밖으로 나오게 되었는지 대해서 독자들에게 재밌는 에피소드들로 공유해 드리고자 한다. 여러분들이 회사생활에 있어서 어렵고 힘든 일이 있을 때, 이 책을 읽고 힘을 내어 회사 업무에 다시 도전하기 바란다.

# 제1화 돼지우리에 빠진 날

Episode 1. 돼지우리에 빠진 날

대학 졸업을 눈앞에 앞둔 2007년도까지 저자는 한 번도 회사에 입사를 목표로 살지 않았다. 지금 돌이켜 생각해 보면 20대와 30대의 모습은 너무나도 철이 없었다. 작은 운수업을 하시는 부모님의 도움으로 어렸을 때부터 경제적으로 큰 어려움 없이 성장했기에 졸업을 앞두고도 우리 집이 어느 정도 경제적으로 여유롭다는 착각 속에 살고 있었던 것이다. 남들은 4년 만에 졸업하는 학교를 10년 만에 졸업하는 아들에게 아버지는 이제는 더 이상 지원해 줄 것이 없다고 얘기하셨고 그제서야 정신을 차리고 부랴부랴 회사 지원에 필요한 토익 시험과 면접 준비를 하기 시작했다. 지방대를 다니다가 서울에 모대학에 편입하였고, 편입한 동기들이 아주 쉽게 우리가 알만한 회사들로 쉽게 취업을 하는 모습을 보고 나는 너무도 자신만만해 하고 있었다. 하지만 꿈꾸던 이상과는 달리 현실은 험난했다. 지원하는 회사에 서류 1차도 합격이 쉽지 않았던 것이다. 아마 그 당시에 100여 곳 이상의 회사에 원서를 넣었던 것으로 기억한다. 지금 돌이켜보면 내가 왜 떨어졌는지, 이력서에 무엇이 문제였는지, 면접에서 무엇을 잘못했는지, 지난 17년간 수백 명의 지원자들을 면접하고 채용하면서 지금은 너무나 이유를 잘 알고 있으며, 이제는 수많은 채용과 HRD경험을 바탕으로 컨설팅도 할 수 있는 역량을 가지게 되었다. 채용이 되기까지 몇 번의 좋은 기회가 있었다. 외국계 중견기업, 지방 메이저 은행, 대기업 영업, 그리고 현재 17년간 재직했던 회사였다. 최종 면접에서 줄줄이 떨어지면서 이미 졸업을 한 상태가 되면서 자신감은 떨어지고 점점 더 초조해지기 시작했다. 눈을 낮추어서 제약회사와 마이너 백화점 영업직에도 지원을 하였다. 결국 한 곳에 제약회사와 백화점 영업직에 합격하였고, 지원한 곳 중 가장 가고 싶었던 현재 직장의 지역 영업지원부서의 최종 결과를 기다리고 있었다.

17년이 지난 지금도 그날 합격의 기쁨이 생생하다. 친구와 만나 신촌의 한 낡은 중국집에서 탕수육에 고량주를 마시고 결과를 기다렸다. 문자로 오기로 예정되었던 시간이 지나도 결과 문자는 오지 않았다. "또 떨어졌겠구나" 하는 생각으로 낙심한 채 집으로 돌아왔고 탁자에 올려놓은 핸드폰에서 갑자기 진동이 느껴졌다. 아무런 기대 없이 열어본 핸드폰에는 "최종 면접에 합격하였습니다" 라는 축하의 메시지가 있었다. 지금까지 고생했던 생각이 나면서 정말로 오랜만에 펑펑 울었다. 가족과 친구들의 축하를 받으며 남들이 다 알만한 회사에 입사했다는 기쁨에 빠져 있었다. 인생에서 항상 기쁨 뒤에는 슬픔이 따라오고 슬픔 뒤에는 기쁨이 따라오는 법이다. 나는 앞으로 내가 입사한 회사에서 어떠한 풍파와 어려움이 있을지 알지 못한 채 합격의 기쁨에 젖어 너무나 행복해 하고 있었다.

[episode 1. tip]

대학 졸업 후 회사 입사를 지원하는 여러분에게 몇 가지 TIP을 주고자 한다. 최대한 본인이 고려하는 직무와 회사에 많이 지원해야 한다. 많은 지원자들이 지원회사가 본인과 맞지 않다고 스스로 미리 판단하며, 본인 스펙으로는 합격이 어렵다는 테두리를 만들어 지원조차 하지 않는 경우가 많다. '회사 지원하는데 비용이 드는가?' 여러분 스스로 본인을 평가절하하여 기회조차 얻지 못하는 경우가 많다. 지원자들은 용기를 가지고, 밑져야 본전이라는 생각으로 최대한 많은 지원을 하길 바란다. 실패에서 오는 고통이 무서워 도전을 포기해서는 절대 안 된다.

지원자들은 이력서의 자기소개서에 결론부터 강렬히 써야 한다. 서론, 본론, 결론의 순서가 아니라 첫 문장에서 바로 강렬한 결론이 나와야 한다. 지원자의 모든 이력서를 채용담당자가 다 읽어볼 것이란 생각은 오산이다. 첫 문장에서 강펀치를 날려야 한다. 그렇지 않은 이력서는 승산이 없다. 본인의 이력에서 가장 크게 어필할 수 있는 부분, 차별성이 있는 사실을 먼저 서술해야 한다.. 최악의 이력서는 저는 '어려서부터... 부모님이, ~어디를 졸업하고' 이런 식으로 자기소개서를 시작하면 절대로 안 된다. 면접에서 솔직해야 한다. 면접관들은 지원자가 하는 말이 거짓인지 금방 알아 낼 수가 있다. 그렇기 때문에 최대한 솔직히 본인의 장점을 잘 어필해야 한다. 인성질문에 대해 대다수의 지원자는 당황해 한다. 예를 들어 '본인 부모님 외에 존경하는 사람이 누구인가? 왜? 최근에 읽은 책 중에 감명받은 이유? 본인의 단점을 말해보라' 등등의 질문은 지원자를 당황하게 하고 솔직한 대답을 자연스럽게 나오게 만들어, 면접관은 그 지원자의 인성을 파악할 수 있게 된다. 그렇기 때문에 솔직히 본인을 성찰하고 준비하기 바란다. 하지만 본인의 단점을 너무 안 좋게 솔직히 표현해서는 안되며, 본인의 단점을 극복하고 있으며 더 많은 장점들이 있다고 표현 하는 것이 좋을 것이다. 어떠한 면접에 가든 1분 자기소개 준비는 필수이다. 처음 면접관과 만났을 때 특별한 1분 자기소개를 준비해서 시선을 끌어야 한다. 면접관도 사람이기 때문에 심심한 지원자에게 관심이 가지 않는다. 강렬한 인상을 남길 수 있는 멘트와 본인만의 차별성을 어필해야 한다. 면접관이 이력서를 살피는 도중에도 자기소개 시 얼굴을 들어서 지원자를 볼 수 있도록 강렬해야 한다. 어차피 면접관은 지원자를 스캔하는데 1분이면 충분하고 이미 어느 정도 당락을 결정한다. 소개팅을 생각해보라. 얼마만에 이성에게 매력을 느끼는가? 똑같은 이론이라고 생각하면 될 것이다. 면접 후에 많은 지원자들이 오해하는 부분인데 질문을 많이 받는다고 좋아해서는 안 된다. 질문을 많이 하는 경우는 지원자에 대해서 확신이 없을 때 면접관은 꼬리에 꼬리를 물어 질문한다. 이때 확신 없는 대답은 바로 탈락이란 것을 명심해야 한다. 보통 신입을 채용할 때 직무경험이 있으면 좋지만 면접관은 가능성을 더 본다. 이 사람이 열정적인 사람인지, 인성이 바른 지원자인지, 팀과 잘 조화될 팀원으로 자질을 우선시한다. 물론 경력직의 경우 이런 인성보다는 전문성과 경험, 업무능력을 더 우선시 하겠지만 신입의 경우 업무능력은 다 비슷하다는 인식하기 때문에 지원자의 인성, 열정, 끈기에 대해서 더 관심있게 지켜볼 것이다. 면접 시 최대한 잘 꾸미고 가야 한다. 면접 스킬도 중요하지만 겉으로 보여지는 외면적인 모습도 중요하다. 본인이 가지고 있는 가장 좋은 정장을 입고 최상의 컨디션으로 면접에 임해야 한다. 외모지상주의는 싫지만 인간의 본성은 무시할 수 없다는 것을 명심해야 한다. 서류에서 합격했으면 면접에서는 제로 베이스다. 아무리 좋은 스펙의 경쟁 지원자가 있더라도 면접에서 지원자가 뛰어나게 어필한다면 이 모든 것을 면접에서 극복할 수 있다. 좀 심한 표현으로 얘기하자면 면접관을 꼬셔야 한다. 본인이 다른 지원자보다 더 잘할 수 있고, 더 인성적으로 훌륭하며 열정 있는 지원자라는 것을 표현해야 한다. 마지막 포부를 잘 표현해야 한다. 면접관은 마지막에 100프로 이 질문은 할 것이다. 우리회사에 궁금한점이 있거나 마지막으로 하고 싶은 말이 있냐는 질문이다. 이 질문을 지원자들은 잘못 이해하고 있다. 진짜 우리회사에 무엇을 질문하라는 것도 맞긴 하지만 이 지원자가 우리회사에 어떤 부분을 잘 알고 관심 있어 하는지를 알기 위한 질문이다. 즉 이런 질문의 좋은 예는 어떤 상품이 이렇게 성공했는데 지원자 개인의 생각이나 의견을 얘기하면 좋을 것이다. 절대 면접관을 당황하게 만드는 회사 질문을 해서는 안 된다는 것을 명심하길 바란다.

Episode 2. 제주와 상해 신입사원 연수

17년이 지난일이라 많은 기억이 나지는 않지만 원하는 회사에 입사했고 대졸 신입사원 연수에 참가하는 것만으로 너무도 설레고 기뻤었다. 연수는 인재개발원이 위치한 경기도에서 진행되었고 당시 생각보다 많은 강의를 들었던 것 같다. 강의를 하셨던 홈플러스 출신 임원은 작년 MBA 수업시간에 강의를 들으면서 다시 만나·뵙게 되었다. 많은 강의 내용들이 기억은 나지 않지만 마케팅, 기업문화, 조직문화, 역량개발에 대한 내용이었다. 신입 연수에서 일부 수시로 입사한 동기들은 6개월 정도 미리 입사해서 회사 생활을 이미 하고 있는 상태였고, 그들이 먼저 경험한 돼지우리 생활은 무척이나 걱정도 되고 충격적이었다. 나중에 내가 겪은 신입 초반의 회사 생활은 그들보다 더욱 심각한 상황이었다. 사실 제주 연수는 딱히 생각나는 기억이 없다. 한라산 등반과 특급호텔에서 신입사원들을 배려하는 조직문화 정도가 떠오를 뿐이다. 중국 상해연수에서 우리는 팀 프로젝트로 중국 시장 조사를 하고 연수원으로 돌아와서 발표하는 프로젝트를 진행했었다. 07년 당시 중국 거리의 일반적인 중국인들의 문화의식은 물론 지금도 같은 상황이겠지만 택시를 잡기위해 줄을 서 있으면 이를 무시하고 끼어드는 등의 너무나도 황당한 일들이 많이 겪었다. 이 당시 중국 서민들의 문화의식을 보고 나는 크게 충격을 받았다. 택시 손잡이를 잡으려는 순간 끼어들어 택시를 타고 유유히 사라지는 중국인들을 보면서 내 인생에 다시는 중국을 오지 않겠다는 다짐을 했다. 하지만 그로부터 5년 후 난 상해에서 주재원으로 근무하게 된다. 아이러니 한 것이 인생이고 내 맘대로 되지 않는 것이 인생이었다. 현재의 저자가 바라보는 중국과 중국인들은 이 당시의 생각과 너무나 달라져 있다. 가끔 뉴스에서 나오는 중국인들의 모습에서 우리는 중국의 모든 사람들을 동일시 하는 오류를 볼 수 있다. 다수의 대중들은 아직 중국과 중국인들을 제대로 이해하지 못하고 있는 것 같다. 우리가 일반적으로 폄하하는 중국인들은 제대로 교육도 받지 못한 평범한 시민들이다. 고등 교육을 받은 중국인들은 우리가 생각하는 상상 이상으로 정말 똑똑하다. 저자가 느낀 중국인들은 한국인이 가진 독특한 센스나 감각은 없지만 어렸을 때부터 두가지 언어를 사용하면서 중국인들의 뇌구조가 더 발달되지 않았을까 짐작해 본다. 우리나라에서 부산사람이 서울사람을 만나서 사투리를 쓰면 서로 대화가 가능하지만, 북경사람이 북경 지역어와 상해 사람이 상해 지역어를 사용하게 되면 서로 대화가 불가능하다.

그리고 중국의 기업들, 특히 디지털분야와 가전, 전기자동차 부분에서 상당한 역량을 가지고 있다. 향후 하이얼과 해신전기 같은 회사들은 우리가 소니를 추격했듯이, 삼성을 뛰어넘고 BYD가 현대를 뛰어넘는 날이 올 수도 있다는 것을 우리 기업들은 경계하고 미리 대비해야 할 것이다.

중국 연수를 무사히 마치고 상해에서 돌아오는 공항 입국 심사대에서 약 80명의 신입사원 중 내가 입국하는 줄이 아닌 10-15명 정도는 다른 라인에서 입국을 하고 있었다. 회사를 늦게 입사한 나는 우리 동기들 중에서 나이가 가장 많았고 친한 동기 동생에게 물었다. "왜 저 친구들은 다른 라인으로 가서 심사를 따로 받지?" 돌아온 답변은 그들은 미국시민권자 이었기 때문에 외국인전용 라인에서 입국 심사를 받고 있는 것이었다. 역시 예상은 했지만 상당수가 미국이나 해외에서 대학을 나왔고 너무도 초라한 나의 스펙과 능력을 다시 한번 느끼고 마지막 발표와 신입 연수의 마지막 교육이 끝나가고 있었다.

[episode 2 tip]

이제 입사를 해서 1-2년 회사생활을 하는 후배들에게 몇 가지 tip을 전해주고 싶다. 아무리 sky 출신이라도 입사 후에 큰 차이는 없다. S대 출신도, 해외대 출신도 입사 5년 후면 학력보다 능력에 따라 판단되어질 것이다. 물론 출신대가 좋으면 메리트는 있을 것이고 임원의 직급까지 바라본다면 MBA 또는 석사과정을 고려해 보는 것이 좋을 것이다. 여러분이 신입사원이라면 인내심을 가지라고 얘기하고 싶다. 요즘의 MZ세대들은 회사생활을 너무 빨리 포기하는 것 같다. 만약 저자가 입사 전 회사에 쉽게 합격했다면 회사생활 1년을 버티지 못했을 것이다. 회사 생활에서는 어느정도 참을성이 필요하고 어려움을 감내하고 견뎌야 한다. 여러분들이 지금 신입 1년차라면 군에 입대했다 생각하고 3년은 참고 생활해 보기를 추천한다. MZ세대들이 들으면 꼰대라고 생각해도 할 수 없다. 그리고 회사 생활에서 최대한 동기들에게 정보를 입수하고 서로 공유해야 한다. 그래야 회사생활 초반부를 잘 버틸 수 있다. 본인의 업무를 할 때에도 본인업무 외에 팀의 상황을 파악하고 동료들의 대화에 귀를 열고 있어야 한다. 다른 업무를 하는 주변 사람들이 뭐라고 하는지 어떤 일을 하는지 귀를 기울여야 한다. 여러분에게 아무도 자세히 가르쳐 주지 않을 것이다. 누가 1에서 10가지 다 가르쳐 줄 것이라는 기대는 접어야 한다. 그들이 기대하는 것은 하나를 가르치면 열을 실행하는 당신을 원할 뿐이다.

Episode 3. 지역사업부 발령

07년 신입사원 연수를 마치고 지역사업부 영업지원팀으로 발령을 받았다. 사실 본사에 마케팅 직무를 졸업 직전 지원을 했으나 1차 서류에서 탈락했다. 이미 언급했듯이 동기들의 스펙은 상상 이상이었기에 당연한 일이었을 것이다. 한번의 실패가 있었기에 고향인 부산 사업부에서 모집 공고가 있었고 본사근무보다는 좀 덜 경쟁이 치열했기에 다행히 최종 합격을 하였다. 신입연수의 즐거움 후에는 사업부에서 최고로 깐깐하고 엄격한 만년과장인 강과장이 기다리고 있었다. 미생에 나오는 박과장과 성격이 유사했다. 지금 입사하는 MZ세대들은 상상도 못할 일들이 그때는 너무 많았다. 강과장은 사업부에서 가장 빨리 출근했다. 7시 15분 정도면 회사에 출근했고 일일실적을 그가 출근 하기전에 책상에 출력해 놓아야 했다. 일일실적 작성이 서툰 나는 그보다 한시간 전에는 회사에 출근해야 했다. 실적 작성이 늦으면 압박이 계속되었고 매일 아침 나는 식은땀이 나기를 반복했다. 영업의 특성상 차량이 필요하기는 했지만, 보통 입사 2~3개월 후 구매하는 것이 통상적이다. 하지만 강과장은 매일매일 차량구매를 압박했고 압박을 견디지 못하고 나는 장기 할부로 아반테 검정색 차량을 입사 1개월도 지나지 않아 출고하게 되었다. 강과장은 일상에서 사소한 차량 색깔에도 태클을 걸었고, 운전습관과 같은 업무와 관련 없는 개인적인 일에도 계속되는 압박을 1년이상 지속하였다. 사실 그 당시 저자가 어렵게 이곳에 입사하지 않았다면 끔찍한 1년을 버틸 수 없었을 것이다. 지금 생각해보면 수많은 지원과 탈락으로 어렵게 입사했기에 그 고통 속에서도 인내하고 버텨왔던 것이다. 입사 3개월간은 잦은 회식과 이른 아침 출근, 하루 종일 긴장 상태로 군대보다 더 어려운 돼지우리의 생활로 점점 몸과 마음이 황폐해지고 있었다. 나중에 알게 된 사실이지만 강과장은 내가 마음에 들지 않아 회사를 그만두게 하려고 더욱 나를 몰아쳤던 것이다. "그만두지 않을 것이다" 나는 마음속으로 소리쳤다. 반드시 어떻게 든 내가 이기게 되어 있다고 다짐했다. 급하게 채용지원을 하고 회사 업무에 준비되지 않았기 때문에 엑셀 Vlookup함수가 무엇인지도 잘 몰랐다. 그나마 다행이었던 것이 같이 일하던 전주임은 매우 똑똑했고 많은 것을 도와주었다. 전주임은 지금까지도 좋은 관계를 유지하며 만나고 있다. 사실 강과장은 성격은 불같고 다혈질이었지만 영업직무에 특화된 전문가였다. 그의 의도적인 괴롭힘 덕분에 영업에 필요한 기본적인 체력을 매우 단단하게 쌓을 수 있었다. 6개월이 지나고 1년이 되어갈 무렵 강과장은 나를 점점 인정하기 시작했다. 다른 동기들보다 똑똑하진 않았지만 성실하고 빠른 모습, 영업적 재능이 있었기에 나를 점점 신뢰하기 시작하고 있었다.

[episode 3 tip].

회사생활은 버티는 것이다. 이런 얘기하면 꼰대라 하겠지만 시작했을 때 인내와 고통을 감수하고 견뎌야 한다. 정말 17년동안 회사에서 무엇을 했냐고 물어본다면 '나는 버티며 회사생활을 했다'고 말할 것이다. 회사에서 겪은 수많은 고통과 고난때문에 죽음까지 생각했던 적도 있었다. 이러한 어려움 속에서도 회사 내부에서 친분관계가 좋은 선후배들이 많았기에 버틸 수 있었다. 여러분에게 회사 내에서 개인적인 친분을 많이 쌓으라고 얘기하고 싶다. 모든 일이 사람이 진행하는 업무이기 때문에 개인적 친분이 있으면 업무에도 큰 도움이 되고 회사생활 내에서 많은 것이 수월해 진다. 퇴사전까지 회사생활에서 폭넓은 친분으로 업무에 큰 도움을 받았었다. 회사 내부에서 맺은 인적 네트워크가 여러분의 무기가 될 것이니 이를 반드시 명심해야 한다.

Episode 4. 새로운 장벽과의 만남

회사 생활 1년이 지나고 미생의 박과장과 성격이 유사한 강과장은 나를 점점 신임하기 시작했다. "드디어 나의 회사생활에도 꽃이 피는구나" 점점 맡은 업무와 회사생활에서 자신감이 생기기 시작했다. 프랜차이즈 계약 및 매장 관리 담당으로써 큰 역할을 충분히 하게 되었다. 그러던 어느 날 강과장은 M사업팀 팀장으로 승진 발령이 나게 되었고 조직이 일부 개편되었다. 따로 소규모 브랜드팀으로 있던 우리 브랜드는 A브랜드 팀으로 통합되게 되었고 나는 그 곳으로 발령을 받았다. 부산지역사업부에는 3명의 악명높은 Three K가 있었는데 2명의 K가 그 팀에 있었다. 3K는 신입직원들이 꼭 피해야 하는 악명높은 선배들이었다. 나는 유일하게 사업부에서 악독한 3K와 함께 일한 유일한 타이틀을 얻게 되었다. 지금은 근무환경이나 조직환경이 너무나 좋아졌지만 그 당시에는 가맹점 매입영업이 난무했고 매주 영업회의에서 목표에 대한 압박을 받고 있었다. 회사생활이 더 나아질 것 같지 않았지만 군대생활 2년2개월도 버텼는데 조금 더 참고 견디자고 스스로를 위로하며, 3년 후에도 상황이 변하지 않는다면 회사를 그만둘 것이라고 다짐하고 있었다. 그 당시 에피소드를 하나 얘기하자면 지금 MZ 세대들은 이해할 수 없겠지만 어처구니없는 일들도 많이 발생했다. 지금도 그 기억은 내 머리속에서 잊을 수가 없다. 어느 여름날 나는 본사와 영업 전략에 대한 문의를 해야 했고 K는 내가 본사 과장님(그 과장님은 나중에 대표님이 된다)과 대화하는 내용을 유심히 듣고 있었던 것이다. 나는 어떠한 질문을 했고 그 질문이 우리 팀의 어떤 내용을 공유하고 있다고 오해한 K과장은 전화를 하는 도중에 회사 다이어리로 나의 뒤통수를 쳤다. 난 당황한 나머지 급히 전화를 다시 드리겠다고 하고 전화를 끊었다. 그 당시 나의 직속 선배의 얘기를 그대로 전달한 것인데 K가 오해한 것이었다. 직속선배는 내용을 K과장에게 자세히 설명했지만 그들은 끝내 한마디의 사과도 없었다. 나는 너무나 화가 났지만 참아야 했다. 이 당시의 조직문화는 아랫사람은 무조건 참아야 한다는 것이 불문율이었다. 외부에 나가서 피는 담배 한모금이 나의 억울함을 달래어 주었다. 아마 이 사건 이후부터 나도 달라지기 시작했던 것 같다. 잘못된 부분에는 가만 있지 않기로 한 것이다. 직장생활 2년 정도가 되어갈 무렵, 비합리적인 부분에 대해서는 그들에게 강하게 얘기하고 내가 그리 약한 사람이 아니라는 것을 보여주었다. 사실 그들에게 직접적으로 보여준 것도 있지만 가맹 사업을 하기에 점주분들이 잘못된 영업을 하거나, 전략이행이 안되었을 때 내가 강하게 관리하는 모습을 그들도 느꼈을 것이다. 3년차가 되고 그들도 점점 나를 인정하기 시작했고 많은 업무들을 맡아서 진행하기 시작했다. 사실 입사 초부터 근무했던 브랜드는 07-11년 초창기 사업 브랜드였고 회사 내에는 많은 성공 브랜드가 있었기에 크게 두각을 나타내는 브랜드는 아니었다. 이 브랜드는 확장을 계속해 나가고 있었기에 백화점, 마트, 가맹, 직영 등의 여러 채널을 다양하게 경험할 수 있었다. 또한 그 당시에는 영업사원을 위한 여러 교육이 있었다. 식스시그마, 영업력강화 프로그램 및 회사 내부 발표 컨테스트 등이 있었다. 이런 프로그램에 반강제적으로 참가하게 되었고 두드러진 성과를 점점 보이기 시작했다. 중견사원들은 이런 교육을 싫어했고 반강제적으로 이러한 교육에 참가하게 되면서 조직 안에서 나를 알리는 자명종이 되었던 것이다. 우리 브랜드는 점점 성장하기 시작했고 어느 날 팀은 아니지만 영업소 형식의 4명의 소규모 조직으로 다시 조직개편과 발령이 이루어졌다. 난 3년간의 3강과의 힘든 싸움을 이기고 사업부에서 좋은 성격으로 유명한 김과장과 같이 일하게 되었다. 끝나지 않을 것 같은 고통과 어려움을 겪고 나니 어느 순간 정말 해 뜰 날이 오는 것 같았다. 회사 게시판 발령을 보고 나는 싱그러운 미소를 지을 수 있었다.

[episode 4 tip].

회사생활에서 1년에서 3년까지가 가장 힘들 것이다. 이 시기를 잘 넘기게 되면 회사에서 성장할 수 있는 잠재력을 가지게 될 것이고 내부역량 또한 발전할 것이다. 3년 정도가 지나면 회사에서 다양한 직원들과 교류도 하게 될 것이며 본인도 업무에 대해서 어느정도 파악할 수 있다. 3년 후에도 회사생활이 힘들다면 이직을 하거나 본인이 조직에 적합한 사람인지, 개인사업이나 프리랜서에 적합한 사람인지 다시 한번 분석해 봐야 할 것이다. 해외에서 주재원 생활을 하면서 느낀 것 중 하나는 우리나라는 해외에 비해서 한 회사에 너무 충성하고 오랫동안 근무한다는 것이다. 특히 호주에서 일하면서 그들은 3년정도의 경력 후 포지션과 연봉을 올려 자주 이직하는 모습을 봤다. 물론 이직이나 한회사에서 오래 근무하는 것이 각각의 장단점이 있기 때문에 본인의 성향과 선호도에 따라 결정하는 것이 좋지만, 3-5년 후 이직하는 그들의 방식도 나쁘지 않다는 생각이 든다. 저자도 지금에 와서 생각해 보면, 한 회사에서 17년이 아니라 다른 산업군과 회사, 포지션에서 일해 봤다면 더 좋았을 것 같다. 여러분도 가능하다면 여러 산업군에서 다양한 포지션에서 일해보는 것도 인생 전체를 봤을 때 큰 자산과 경험이 될 것이라고 생각된다.

Episode 5. 선택의 갈림길

지난 3명의 K과장과 비교했을 때 김과장과의 회사생활은 천국이나 마찬가지였다. 김과장은 중요한 결정을 제외하고 많은 업무를 내가 결정하고 진행할 수 있도록 했다. 당시 개설업무가 많아서 일은 더 많아지고 힘들었지만 다른 스트레스는 전혀 없었다. 팀 회식도 많았지만 오히려 회식을 즐길 수 있고 스트레스를 풀 수 있는 자리가 되었다. 또한 지금도 김과장에게 감사하고 있는 것은 김과장은 항상 본사에 미팅이나 회식에서 나를 칭찬하고 띄워주었다. "우리 정대리가 부산 영업팀을 다 먹여 살리고 있습니다" 나도 회사생활을 하면서 김과장에게 배운대로 후배들을 배려하는 선배가 되도록 노력했었다. 김과장의 배려로 본사 직원들에게 부산 사업부에 역량이 뛰어난 정대리라는 직원이 있다는 사실을 계속해서 알려 나가고 있었다. 그러던 어느 날 회사에 이상한 소문이 돌기 시작했다. 입사 후부터 몸담고 있는 브랜드가 계열사로 분리된다는 것이었다. 계열사로 분리해서 독립경영을 통해 브랜드를 더 키운다는 것이 회사의 방향성이었다. 하지만 대졸공채로 회사에 입사한 내가 퇴사 처리를 하고 계열사로 이동해야 한다는 것이었다. 모든 급여나 복지 조건은 동일하지만 어쨌든 모기업이 아닌 계열사로 이동해야 하는 것이고 당시만 해도 우리 브랜드가 확실히 성공할 수 있다는 보장을 아무도 장담하지 못하던 시절이었다. 김과장은 급하게 팀원들을 소집했고 2주 정도 고민 후에 계열사로 이동할지에 대해서 결정해 달라고 당부했다. 이 사실을 부모님과 와이프에게 알렸고 모두 계열사로의 이동을 반대하였다. 이 당시 와이프와 결혼을 곧 앞 둔 시기였고 대기업이 아닌 신규브랜드 계열사로 전적하는 것을 주변에서는 탐탁치 않게 생각한 것이 당연한 것이었다. 나도 어렵게 들어온 회사에서 계열사로 전적하는 것이었기에 쉽게 결정이 되지 않았다. 몇 일간의 고민 끝에 나는 계열사로 전적하겠다는 결심을 한다. 사람 좋은 김과장과 일할 수 있고 내가 잘 아는 브랜드이니 후회없이 일할 수 있을 것 같았다. 나는 회사 문서 절차상 회사 퇴직을 하고 계열사로 전적을 했다. 같이 일하던 2명의 전임직 직원들은 전적을 선택하지 않고 타부서로 발령을 받았다. 시간이 지나고 그들은 계열사로 이동하지 않은 것이 잘못된 선택이라고 후회하게 된다. 우리는 계열사 내에서 정식으로 팀이 되었고 김과장은 팀장으로 승진하게 되었다. 우리는 신입 직원 채용을 준비하고 팀을 재정비하기 시작하였다.

[episode 5 tip].

회사 생활을 하면서 선택을 해야 할 때가 반드시 온다. 이러한 선택에 따라서 앞으로의 회사생활의 성공과 실패가 결정되어진다고 해도 과언이 아니다. 저자가 이 당시에 만약에 계열사로 전적하지 않았다면 그냥 지역에서 평범한 영업담당으로 머물러 있었을 것이다. 신규 브랜드에 도전하겠다는 결정을 했었고 큰 조직보다 작은 조직에 몸담고 있었기에 나에게 주재원에 대한 기회들이 좀 더 쉽게 올 수 있었다고 판단된다. 여러분도 회사 생활에서 2-3번의 중요한 결정이 반드시 있을 것이니 신중하게 생각하고, 도전적인 방향으로 현명한 선택을 해야 할 것이다. 저자의 경험으로 지나고나서 생각해보면 좋은 기회라고 생각했던 것이 오히려 나중에 알고 보면 좋은 기회가 아니었고, 불행이라고 생각했던 것이 오히려 나중에 좋은 결과로 결실을 맺은 경험이 있다는 것을 여러분께 알려 드리고 싶다. 회사 생활을 하면서 선배들이 자주 얘기한 내용인데 회사생활을 "운칠기삼" 이라고 한다. 회사생활에서 70%가 운이고 30%가 개인의 능력이라는 것이다. 저자는 이제 '운칠복삼'이라고 얘기하려고 한다. 능력을 가지고 준비된 사람에게는 운이 100% 따라올 것이라 믿는다.

## Episode 6. 떨어진 낙하산

계열사 전적 후 팀 업무 강화를 위해 새로운 전임직 2명과 서무 1명을 채용하게 되었다. 브랜드의 국내 프랜차이즈 사업은 마켓에서 사업 잘되는, 한마디로 돈이 되는 비즈니스로 소문이 나기 시작했다. 월 최소 2-3개의 매장을 오픈하기 위해서 2명의 담당이 더 필요했고 이들을 채용할 수 있는 승인도 본사로부터 받게 되었다. 드디어 입사 3년만에 새로운 후배들을 맞이 할 마음에 들떠 있었다. 그 당시에 우리 회사는 유독이나 직무 교육이 많았고, 나는 약 1주일간의 역량강화 교육을 위해 교육장이 있는 경기도 인재원에서 교육을 진행하고 있었다. 교육을 한참 진행중이던 때 김팀장에게서 다급히 전화가 걸려 왔다. 아무래도 이번 채용은 지역해서 직접 진행하지 않아도 될 것 같다는 내용이었다. 본사에서 이미 채용된 신입담당이 부산사업부로 발령을 받아 내려온다는 것이었다. 김팀장도 자세한 내용에 대해서는 모르는 것 같았다. 보통 수시 채용시에는 지역사업부에서 따로 채용 프로세스로 입사전형을 치루는 것이 정석이다. 그런데 본사에서 채용을 해서 역으로 부산사업부로 신입을 이동 발령하는 것은 흔한 일이 아니었다. 교육을 하는 중에도 나는 이미 다른 생각에 빠져 있었다. "내가 원하는 역량과 태도가 아니라면 그 직원은 나와 함께 일하기 힘들 것이다" 어느 순간 나도 모르게 3명의 K과장이 나에게 한 생각과 행동을 비슷하게 하고 있는 것이었다. 업무 능력은 없어도 되지만 태도나 인성이 안 좋은 사람은 절대로 아니길 바랬다. 저자가 호주와 중국에서 주재원으로 있을 때, 새로운 직원을 채용할 때 가장 중요하게 생각한 것은 인성과 열정을 가진 지원자의 태도였다. 지원자의 역량이 부족하면 교육으로 개발 시킬 수 있지만 인성과 게으른 사람의 태도는 정말 바꾸기 힘들다는 것을 너무나도 잘 알고 있었다. 교육이 종료되고 월요일 출근을 하여 신입사원 필과 드디어 대면하게 되었다. 필을 데리고 옥상으로 올라가서 20-30분간 대화를 나누었다. 김팀장에게 들은 내용과는 달리 필은 헝그리 정신도 있고 인성적으로 좋은 태도를 가지고 있다는 것을 단번에 알아 차릴 수 있었다. 그의 옷차림과 말투는 거만하지 않았고 질문에 대해 답변하는 태도도 싹싹함과 온순함이 베어 있었다. 나는 본능적으로 사람을 잘 알아보는 능력이 있다. 아마 선천적으로 부모에게 물려받은 직관력과 예지력이 있는 것 같다. 그래서 HR 업무를 좋아했고 특히 사람을 채용하는 업무가 흥미로웠다. 여하튼 난 그가 썩 마음에 들었다. 그날 우리는 필의 신입사원 환영 웰컴 저녁식사를 하게 되었다. 김팀장은 회식 도중 나를 잠시 불러 밖으로 나갔다. 그리고 나는 팀장에게 말했다. “걱정하지 하세요. 제가 잘 키워 보겠습니다.” 신입 필은 생각보다 괜찮은 친구였고 우리의 걱정은 현실이 되지 않았다. 팀이 점점 커지기 시작하자 나의 책임감도 점점 더 무거워 지기 시작하는 밤이 지나고 있었다.

[episode 6 tip]

회사에서 진행하는 교육 프로그램을 잘 이용해야 한다. 회사에서 본인의 역량 개발에 가장 많이 도움을 주는 것이 무료 교육이다. 여러분의 재직한 회사에서는 많은 비용을 투자해서 진행하는 교육이며, 무료로 본인의 역량을 개발할 수 있는 기회이기 때문에 다양한 교육프로그램을 듣는 것을 추천한다. 그리고 사내에서 특정 주제에 대한 컨테스트나 발표 등의 기회가 있다면 꼭 참가해서 본인을 회사 내부에 알리는 것이 좋다. 여러분이 묵묵히 일하면 회사가 알아줄 것이라는 착각에 빠지지 말아야 한다. 절대로 회사는 그 많은 개인의 능력을 제대로 평가할 수 없다. 저자는 회사에서 아주 높은 직급까지 올라가지 못했다. 그 이유를 퇴직 후 이 책을 쓰면서 되짚어보면 회사 내에서 저자가 성공하게 만든 프로젝트나 성과에 대해서 스스로 자세하게 표현하지 못했고 그러한 업적들이 타인의 관점에서 저평가 되어져 사라졌다. 회사 생활을 하면 개인의 작은 성공에도 그 업적이 크게 알려지는 경우가 있고, 큰 성공에도 불구하고 여러가지 상황에 따라 업적이 회사 내부에서 저평가 되는 경우를 보게 될 것이다. 그리고 여러분이 만약에 회사에서 임원이 되고자 한다면 한마디로 말을 잘해야 한다. 미팅에서도 본인의 의사를 잘 전달해야 하고 논리적이고 명확한 메시지를 전달하는 것이 중요하다. 실질적인 내부 역량과 개인 능력도 중요하겠지만 이를 잘 표현하는 직원들이 임원으로 승진하는 경우가 많다. 여러분들도 평소에 논리적으로 표현하고 말하는 습관을 기르고 노력하길 바란다.

Episode 7. 재테크에 눈을 뜨다

2010년 봄, 결혼을 앞두고 전세집을 알아보기 시작했다. 3년동안 내가 모아둔 돈 2천 5백만원에 부모님이 일부 지원해주신 자금과 와이프와 나의 대출을 합쳐서 전세금 9천만원을 마련했다. 우리가 선택한 아파트는 해운대에 복도식 아파트로, 25평 정도의 20년이 넘은 아파트였지만 지하철역도 가깝고 센텀시티와 매우 가까워 생활하기 편리한 곳이었다. 그 당시에는 나는 완전 부린이(부동산 어린이)었다. 전세를 끼고 집을 구매하는 것도 몰랐고 신규 분양아파트 프리미엄이 무엇인지도 몰랐다. 하지만 김팀장은 재테크에도 뛰어난 재능이 있었다. 부부 두 분이 맞벌이 하면서 알뜰하게 사시는 걸로 매우 유명했다. 들리는 소문으로는 저축을 하기 위해서 저녁은 대학식당에서 먹고, 커피는 자판기 커피만 이용하는 등 직원들 사이에는 김팀장의 알뜰한 생활을 비하하는 소문들도 있었다. 그 당시 부산의 신규아파트 분양 경쟁률이 매우 높았고 나도 매번 청약을 진행했지만 당첨은 쉽지 않았다. 아마 그 이후로도 5년간 계속해서 청약을 신청했지만 단 한번도 당첨이 되지 않았다. 어느 날 김팀장은 분양권 계약을 했다고 나에게 자랑스럽게 말했다. 해운대에 위치한 신규 아파트 고층을 프리미엄을 주고 계약한 것이었다. 김팀장은 분양 사무실에서 아파트 입지 및 브랜드 향후 발전가능성을 보고 당일 프리미엄을 주고 다른 사람이 당첨 받은 분양권을 계약한 것이었다. 그 당시 나의 생각은 그런 프리미엄까지 주고 그것도 바로 당일 방문해서, 어떤 확신이 있어서 그렇게 바로 계약한 것인지에 대한 의구심이 들었다. 하지만 나의 생각과는 달리 6개월 후 이미 프리미엄은 김팀장이 구매 시보다 약 2배이상 붙어 있었고 현재도 이 아파트는 부산 해운대에 엘시티와 마린시티를 제외하고 가장 좋은 아파트 중의 하나로 평가받고 있다. 김팀장의 영향으로 점점 부동산에 눈을 뜨기 시작했지만 가진 자금이 얼마 없던 우리는 전세로 살고 있는 아파트를 구매하기 위해 집주인과 연락하게 되었다. 그 당시 금액을 협의 후 매매 계약을 하기로 합의하고 계약 당일이 되기만을 기다리고 있었다. 회사에 근무하고 있던 중 와이프가 다급하게 전화가 왔다. 집주인이 5백만원 더 올려줘야 계약을 하겠다는 것이었고 계약을 할 것인지에 대해 알려달라는 것이었다. 지금 생각하면 정말 어리석은 판단이었고 5

백만원을 더 주더라도 계약을 진행 했어야 했다. 그 당시 계약날이 임박했는데 갑자기 5백만원을 올려달라는 집주인이 너무 괘씸하다는 생각이 들었고 이성적이지 못하고 감정적인 이유로 계약을 포기하게 된다. 그리고 그 당시에 서툴렀던 것은 가계약금 송금을 하지 않아 발생한 문제였고 부동산을 통해 가계약 문자라도 받았더라면 계약전에 이런 사태는 발생하지 않았을 것이었다. 이렇게 허무하게 나의 생의 첫 집 구매는 물거품으로 끝이 나게 되었다. 그렇게 2010년도 첫 집 구매를 실패하고 우리는 해운대 끝자락에 있는 그 당시 이미 지은지 7년이 지난 아파트를 매수하였다. 국민평수의 실제보다 넓은 구조로 잘 빠진 아파트였으나 이전에 비해서 교통이 불편하고 입지도 그다지 좋지 않았다. 현재는 이곳도 지하철이 들어오고 교통도 많이 편리해 졌다. 당시 와이프의 의견을 존중해서 집 내부가 넓게 빠져서 좋다는 이 아파트를 구매하였으나 중심의 해운대구나 수영구에 위치한 입지 좋은 아파트를 구매 했어야 했다. 그 당시 평당 일천만원하는 부산 신규 분양권에 대해서 말도 많았지만 나는 역세권이 있는 광안리와 해운대의 입지 좋은 아파트들을 유심히 지켜보았다. 어느 날 와이프에게 전화가 왔다. 와이프의 친구가 우리가 원하는 아파트에 당첨이 되었는데 프리미엄을 받고 팔겠다는 것이었다. 그 당시에 프리미엄 시세보다는 조금 저렴한 가격으로 그 아파트를 운 좋게 분양 받게 되었다. 와이프는 계약전까지도 나중에 집값이 하락할지도 모른다는 불안과 걱정을 털어 높았다. 하지만 걱정하는 와이프와는 달리 나는 확신이 있었다. 이런 입지에 대규모 단지, 주변환경, 교통, 초중고 학군을 모두 만족 시킬 곳은 부산 시내에 몇 곳이 없다고 확신했다. 사실 아파트 중도금, 잔금을 갚기 위해서 중국에서 주재원으로 있을 때 정말 힘들게 생활했다. 주재원 부임 약 1년간은 정말 저축을 열심히 했고 먹고 싶은 것도 마음대로 먹지 않을 만큼 아끼고 아꼈던 것 같다. 와이프는 아직도 내가 그렇게 힘들게 지냈었는지 알지 모를 것이다. 이 아파트는 공사가 중단되기도 하고 시행사가 부도가 나서 나중에는 마이너스 프리미엄도 발생했다. 확신이 없어 분양 받은 사람들은 공포에 마이너스로 던지기도 했다. 이분들은 지금은 아마 엄청 괴로워하실 것이다. 하지만 나는 확신이 있었다. 내가 나고 자라서 지내던 곳이라 너무나 잘 알고 있었던 것이다. 확신의 결과는 현재도 올바른 선택으로 평가 되어지고 있다.

[episode 7 tip]

신입사원들은 재테크와 특히 부동산에 관심을 가져야 한다. 회사는 경험을 쌓고 씨드머니를 만드는 곳이지 자산을 크게 축척할 수 있는 곳이 아니다. 열심히 일해서 1억의 씨드머니를 모으고 그것으로 투자를 시작해야 한다. 여러분도 10년안에 10억 텐인텐을 할 수 있을 것이다. 회사 내부에서 만나는 직월들도 부동산과 재테크에 관심있는 선후배와 친하게 지내야 한다. 거기에서 듣는 정보를 모아서 본인 스스로 더 공부해야 한다. 부동산 카페가입은 필수이며 관심있는 지역에는 주말에 임장을 다녀야 하며 여러 부동산과 컨택해서 소장님들과 친해져야 한다. 지금같이 아무도 부동산에 관심이 없고 저평가 되어 있을 때가 오히려 기회라는 사실을 알아야 한다. 매수자가 우위에 있을 때 급매 물건을 구매해야 하고 미국금리가 내려가기 시작하면 빠르게 투자하는 것이 좋을 것이다. 그리고 투자는 항상 본인이 잘 아는 지역에 대해서 해야 한다. 여러분들이 아무리 강심장이라도 타인이 추천하는 곳에 정확한 정보와 확신이 없으면 투자할 자신이 없을 것이다. 저자는 스스로 100프로 확신하는 곳에도 가족의 반대로 투자할 기회를 놓쳐서 땅을 치고 후회한 적이 많다. 여러분이 공부하고 확신이 드는 곳으로 투자해서 경제적 자유를 빠른 시간 안에 이루시고 돼지우리에서 탈출하시길 바란다.

## Episode 8. 새로운 이 녀석 특이하네

계열사로 분리 후 우리 브랜드는 시장에서 좀 더 주목받는 브랜드가 되어 가고 있었으며 그 만큼 우리 부산 영업팀도 점점 업무가 바쁘게 돌아가고 있었다. 낙하산 필은 생각보다 많은 일들을 해주고 있었고 나도 본사에서 점점 주목받는 직원으로 평가받고 있었다. 프랜차이즈 영업을 하면 경영주와 월 프로모션 전략이나 수금관련해서 신경전을 벌일때도 있었고 직영점을 관리하면 기가 드센 점장, 부점장 에게 강하게 얘기해야 할 때도 많이 있었다. 그런 이유에서 점점 주변에서 나는 강한 싸움닭의 이미지로 인식되어 가고 있었다. 나중에 알게 된 이야기이지만 회사 후배들 사이에서 말도 안 되는 소문이 돌고 있었던 것이다. 내가 영업을 할 때 가방에 가맹해지서를 들고 다니고 그러한 이유로 경영주들이 엄청 긴장하고 있다는 것이었다. 이건 사실도 아니고 이렇게 할 수도 없었다. 그 만큼 조금은 강한 영업 스타일과 카리스마로 점점 나의 이미지를 여러 사람들에게 각인 시켜가고 있었다. 낙하산에 이어서 우리는 새로운 대졸 신입 1명을 추가로 채용 진행중이었다. 지역 1차면접에서 5명에 직원을 면접 보았고, 팀장은 A 지원자를 채용하기 원했고 나는 C지원자를 채용하기 원했다. 면접을 보고 나서 A가 인성적으로 문제가 있다고 판단했고 김팀장은 C가 오래 버티지 못할 것 같은 느낌이 있다며 각자 의견이 분분했다. 팀장에게 B는 아주 특출 나지는 않으나 인성적으로나 여러 면에서 가장 무난해 보인다고 추천했고 팀장도 이에 동의하여 우리는 B를 본사 최종면접 대상자로 올렸다. B는 최종면접에 합격했고 낙하산 필과 함께 나의 두번째 후배가 되었다. 요즘은 회식도 거의 없고, 회식을 하더라도 점심이나 저녁 1차 회식을 하는 정도이지만, 이 당시만해도 우리는 매우 자주 회식을 했다. 우리 셋은 회사 퇴근 후 삼겹살과 소맥으로 힘든 회사생활을 달래는 게 다반사였다. 필은 매우 주량이 강했고 제프는 면접 때 소주 1병반은 충분히 마신다는 답변과는 달리 맥주 한잔에도 얼굴이 빨개졌다. 소주 반병이라도 마시는 날은 우리 옆에 잠드는 게 다반사였고 필과 내가 어느정도 취하고 난 다음 잠에서 깨어 집으로 돌아가곤 했다. 제프는 주량이 약한 단점 빼고는 사실 여러가지 재주가 있었다. 나중에 우리회사 브랜드 행사에서 사회는 제프가 다 맡아서 할 정도였다. 성대모사도 뛰어나고 사람을 웃기는 재주가 뛰어났다. 하지만 가끔씩 엉뚱한 구석도 있고 실수도 잦은 편이었다. 제프는 영업에서 실수가 많아서 나에게 매일 혼이 나기 일수였다. 감성적으로 뛰어났지만 아직 사회 생활을 하기엔 부족한 부분이 많았다. 나도 가끔은 엄하게 후배를 질책했다. 한두번의 실수는 할 수 있지만 3번 이상의 똑같은 실수는 실수가 아니라 노력하지 않은 것이라 생각했다. 그리고 다른 팀원들에게 피해가 가면 안 되니 항상 주의하고 개선하도록 만들어야 했다. 우리 세명과 김팀장은 점점 더 좋은 팀과 좋은 브랜드를 만들어 나가기 위해 이날도 노력하고 있었다.

[episode 8 tip]
신입채용 면접에서는 지원자의 열정과 인성을 가장 유심히 보게 된다. 신입은 어차피 일을 가르쳐야 하고 개인역량이 얼마나 뛰어난 지 알 수 없기 때문에 열정과 인내심, 인성이 좋을지에 대해서 고려한다. 반면에 경력채용은 그 부분에 전문능력과 역량, 이전 회사에서의 경험을 가장 크게 고려할 것이다. 앞에서 설명한 어설픈 신입의 제프도 5년 뒤 개인역량이 매우 뛰어나 본사로 올라오게 되고, 회사 내에서도 일 잘하는 직원으로 알려지게 된다. 처음 입사부터 바로 일 잘 하는 사람은 많지 않을 것이다. 처음에는 배우기 위한 고통과 업무에서 실수들이 지속적으로 발생할 것이다. 이러한 경험들이 여러분들이 나중에 회사에서 역량이 뛰어난 직원으로 활동하게 되는 밑거름이 된다는 사실을 꼭 기억해 주길 바란다.

Episode 9. 진정 인도로 갈 것인가?
2명의 후배 낙하산 필과 제프가 들어오고 우리팀은 영업 실적이 더 잘 나오게 되었다. 브랜드의 국내사업은 많은 사람들의 우려와는 달리 회사 내에서 높은 성장을 보이는 브랜드로 자리잡고 있었다. 국내 비즈니스가 잘 되기 시작하면서 회사는 글로벌 사업을 본격적으로 준비하기 시작했다. 이 당시 회사는 글로벌 첫 사업국가로 중국으로 진출할 것인지, 미지의 개척시장인 인도로 진출할지를 두고 고심하고 있었다. 당시 경영진은 경쟁자가 선두진입 했어도 시장 자체의 성장 잠재력이 매우 크고 매력도가 높은 중국시장을 첫 진출국가로 선택할 것인지, 아니면 시장의 경쟁브랜드가 소수이나 미지의 개척시장 인도로 진출할 것인가에 대해 고민을 매우 깊게 했던 것이다. 당시 한 달에 한번 본사에서 월간 영업 미팅이 있었고 영업 미팅 후에는 항상 진행하는 저녁식사 자리가 있었는데 나는 여기서 항상 나를 어필하기 시작했다. 당시의 회식 문화는 폭탄주와 함께 하는 건배사가 필수요소였다. 타고난 큰 목소리와 멘트로 건배 제의를 하면서 사람들의 눈에 띄기 시작했다. 지금 MZ세대들이 들으면 전혀 이해가 되지 않겠지만 회식 자리에서 자주 개인이 일어나 노래를 부르곤 했다. 그 당시 사업부장이나 대표님은 나를 찍어서 노래를 부르게 했고, 나는 18번인 남행열차를 부르곤 했다. 이제는 영업팀 뿐 아니라 모든 팀에 나의 존재를 알기 시작했다. 회식 장소에서 나를 어필했고 대표님이나 상무들을 만나서 이야기 할 기회가 주어지면, 글로벌 주재원으로 가고 싶다는 나의 목표를 항상 명확히 얘기했었다. '인도가 아니라 아프리카라도 진출하게 된다면 파견을 가서 우리 브랜드를 글로벌에 알리겠다'고 말하고 다녔다. 사실 주재원으로 나가는 것도 직원들 입장에서는 국가에 따라서 호불호가 있었고 인도는 대부분의 직원들이 딱히 가고 싶어 하지 않은 국가였다. 나에게는 국가가 중요하지 않았고 주재원으로 새로운 세계에서 나의 꿈을 펼쳐 보고자 하는 목표가 있었던 것이다. 어느 날 본사 사업기획팀 팀장님으로부터 김팀장에게 전화가 왔다. 옆에서 눈치를 보니 뭔가 심각한 얘기가 오가고 있는 것 같았다. 전화를 끊고 팀장은 나에게 이야기를 전달해 주었다. 6개월간 서울에서 글로벌 TFT팀에서 교육을 받은 후에 인도 주재원으로 가라고 연락이 왔다는 것이었다. 다음주 월요일까지 결정해서 통보해 달라는 것이었다. 한편으로는 내가 주재원으로 나갈 수 있는 것이 기쁘면서도 이제 태어난 지 얼마 안 된 어린 첫째와 와이프를 두고 가야 하는 마음이 무거웠다. 그날 회사를 빨리 퇴근하고 무거운 마음으로 와이프에게 이 사실을 알렸다. 회사에서 인도주재원으로 갈 수 있는 기회가 왔는데 다음주 월요일까지 결정해서 알려달라는 사실을 와이프에게 전달했다. 이 당시에는 주재원 파견에 대한 명확한 프로세스도 없었고 첫 진출 국가라서 가족들을 동반해서 같이 가기는 힘든 상황이었다. 또한 당시 큰 딸은 너무 어렸기에 인도를 가게 되면 혼자서 가야 하는 상황이었던 것이다. 와이프는 내가 회사에서 인정받아서 가야 하는 상황을 이해했고 조금 떨어져 있어도 경제적으로 혜택을 받을 수 있는 장점이 있으니 잠시 힘들어도 좋은 기회를 놓치지 말라고 했다. 드디어 월요일 아침 나는 김팀장을 만나 인도 주재원으로 가겠다는 결정을 알렸고 오후에 사업 팀장과 전화로 얘기하는 모습을 볼 수 있었다. 그런데 멀리서 보이는 김팀장의 표정이 좋아 보이지 않았다.

[episode 9 tip]

지금은 이전처럼 기업문화가 많이 개선되어 회식도 점심회식으로 대체하거나, 저녁에 회식이 있더라도 1차에서 회식을 종료하는 것이 일반적이다. 워크 앤 밸런스를 추구하는 MZ 세대들과 시대에 맞게끔 변화하는 것은 좋은 현상이다. 저자는 흔히 말하는 꼰대 세대이므로, 여러분이 신입이라면 이러한 팀일정과 회식에 특별한 사유가 없다면 참가하는 것을 권유한다. 회사 생활이 개인 생활에 영향을 미치지 않아야 하나, 최근의 회식문화 정도라면 참가하는 것이 여러가지로 좋다고 판단된다. 여러분이 회사에서 승진하고 내부적으로 발전하려는 목표가 조금이라도 있다면, 이러한 회사 직원들과의 친분관계와 교류를 무시하면 안 될 것이다. 이것은 꼭 직장생활만의 문제는 아니다. 여러분들이 인생에서 대학원을 가게 되고, 사회에서 친목모임을 가게 되더라도 많은 의사결정들이 인적네트워크를 통해 얻은 정보로 이루어진다는 사실을 알아야 한다. 우리가 흔히 얘기하는 "중국의 꽌시" 문화는 중국에만 있는 것이 아니다. 우리나라에도 꽌시는 있고, 미국에서는 법적으로 문제가 되지 않는 "로비" 문화가 있다. 정치인들이 공개적으로 후원금을 받아서 정치자금으로 사용하고, 우리나라에서도 학연, 지연, 혈연 등이 존재한다는 것이다. 물론 이러한 것이 최우선으로 중요하다는 것은 아니다. 본인의 실력과 함께 좋은 인간관계를 맺어나간다면 여러분들에게 더 좋은 기회가 올 수 있다는 것을 저자는 말하고 싶을 뿐이다.

## Episode 10. Sorry Wait 미안해 기다려

김팀장은 사업팀장과 통화 후에 이제는 영업 상무와 긴 통화를 하고 있었다. 멀리서 들리는 이야기가 심상치 않아 보였다.

전화기 뒤로는 큰소리가 들렸고 나는 뭔가 심상치 않게 돌아가고 있음을 직감할 수 있었다. 한동안 팀장은 말이 없었고 빠른 퇴근 후 우리는 작은 선술집으로 향했다. 팀장은 자세하게 상황에 대해 설명했다. 사실은 전략팀장이 상무 허락도 없이 주재원 TFT팀으로 나를 선발하려 했던 것에 대해 상무님이 화가 단단히 나신 모양이었다. 각 사업부별로 사업부장 아래 직원들을 다른 사업부로 차출하는 것은 각 사업부에서 논의가 충분히 되어지고 동의가 된 후에 인사이동이 되는 것인데, 제대로 된 내부 커뮤니케이션 없이 사업전략 팀장이 영업사업부 소속인 나를 직속 상무 허락도 없이 차출하려 했으니 그것이 문제가 되었던 것이었다. 팀장에게 들은 영업 상무의 생각은 부산 영업팀이 현재 성장 중이고 특히 부산에서 선임담당인 내가 당장 빠지게 되면 아직 신입인 제프와 필로는 영업팀이 많이 힘들어질 것이라고 판단한 것이었다. 사실 내가 없어도 영업팀은 문제가 없었을 것이다. 얼마 지나지 않아 나는 본사미팅으로 서울을 올라갔고 회식자리에서 영업상무와 대면하게 되었다. 지금도 부산 영업팀에 중견사원이 없어서 힘든데 내가 빠지면 영업팀이 힘들어질 테니 1~2년만 더 참고 기다리라는 것이었다. 1-2년 후에는 꼭 보내주겠다는 것이었다. 이렇게 내가 원하던 첫 해외주재원의 꿈은 허망하게도 무산되고 말았다. 그리고 얼마 후에 본사에서 새로운 소식이 들렸다. 첫 해외 진출국이 인도가 아닌 중국으로 결정되었고 인도 주재원 TFT 자체도 무산되었다는 것이었다. 나는 다시 마음을 다잡고 일상업무로 복귀했다. 사실 주재원은 지역영업팀에서 본사를 거치지 않고 바로 가는 케이스도 없었고, 나는 희망을 잠시 접고 영업팀 업무에 몰두하기로 다짐했다. 언젠가 나에게 다시 기회가 올 것이라는 믿음을 가지고, 기회가 올 때까지 더 준비하기로 했다. 필과 제프, 팀장과 함께 나는 최고의 영업팀을 만들기 위해 더 노력하고 있었다. 지역의 신규 가맹점은 급격히 늘어났고 직영점으로 대형마트 채널에도 꽤 많이 입점하게 되었다. 매월 계약업무, 오픈준비, 인테리어 공사, 오픈 진열 등 너무도 바쁜 날들이 빠르게 지나가고 있었다. 영업팀으로는 처음으로 대형 백화점에도 진출하는 성과도 보이기 시작했다. 그리고 어느새 2011년 겨울이 다가왔고 연말에 전직원이 모여서 연간 미팅을 한 후 근처에서 송년회 파티를 했다. 이날은 너무도 추운 겨울이라 아직도 기억이 생생하다. 제프와 필, 나와 팀장은 송년회 파티를 참석하기 위해 부산역에서 새벽기차를 타고 본사로 향하고 있었다.

[episode 10 tip]

회사를 퇴사하고 지금 생각해보니, 저자의 회사 생활에서도 3번의 기회가 있었다. 첫번째는 중국으로 파견, 두번째는 호주로의 파견, 세번째는 본사로의 복귀인 것 같다. 여러분도 회사생활을 하게 되면 2-3번의 기회가 찾아올 것이다. 이러한 기회에 어떻게 의사결정을 하는 것에 따라 회사 생활이 달라질 것이다. 저자는 첫번째 중국으로 파견되면서 글로벌에서 많은 경험을 하게 되었고 상해에서 플래그십 프로젝트를 진행하면서 카페 비즈니스도 같이 경험을 하였다. 중국과는 다른 호주에서 생활하면서 다양한 문화를 이해하게 되었고 호주 비즈니스의 전문가가 될 수 있었다. 한국 복귀 후에는 회사 내부적인 기회보다 저자 본인에 대해서 생각하고 제2의 인생을 살 수 있는 기반을 마련한 것이다. 한국 복귀 후에 서울에서 근무하면서 외부에서 다양한 사람을 만날 수 있었다. 해외 주재원으로 더 근무 할 수 있는 기회가 있었지만 그것을 포기하고 한국복귀를 선택하였다. 그러한 선택이 돼지우리를 탈출할 수 있는 기회를 준 것이라고 판단된다. 여러분도 회사에서 반드시 2-3번의 기회가 있을 것이니, 그 기회에 현명한 판단으로 신중한 결정을 하시기를 기대한다.

울 본사로 향하고 있었다. 계열사로 분리되고 나서 처음으로 하는 연말 송년회 파티가 있는 날이었다. 영하 15도인 너무도 추운 날이었기에 아직도 그날의 기억이 선명하다. 가끔 우리 세명이 만나게 되면 아직도 이날의 추억을 되새기며 얘기하곤 한다. 열차에서 내린 제프가 구수한 부산 사투리로 떠들어대기 시작했다. 선배님! "서울 사람들은 얼케 이래 추분데 사는지 모르겠네예. 와 진짜 추버 어러 주글것 같네예" 제프는 추운 날씨 때문인지 평소보다 더 투덜투덜 거리기 시작했다.

우리는 송년회가 시작하기 전 본사에 미팅 장소로 향했다. 금년도 성과에 대해서 설명하고 각 사업부별로 미팅도 진행하였다. 회사에서는 실적이 인격이라는 말이 있듯이 실적이 좋으니 미팅도 큰 이슈가 없이 원활히 진행되고 있었다. 사실 이런 미팅보다는 송년회 행사에 우리는 더 많은 관심이 있었다. 우연히 본사에서 만난 선배가 송년회 행사에 대해서 간략히 알려주었다. 이번에는 고급 레스토랑을 전체 예약해서 진행하고, 각 사업부별로 우수 사원에게 시상금도 수여한다는 것이었다. 계열사로 분리한 후 국내 사업은 순탄하게 진행되고 있었고 회사 전체 브랜드들 중에서도 이제는 가장 떠오르는 브랜드로 평가받기 시작했다. 이 당시 출시한 제품이 대박 히트를 치기 시작했고 이 제품이 브랜드를 상징하는 대표 상품으로 자리 잡고 지금도 여전히 고객들에게 큰 인기를 끌고 있다. 제품도 좋아졌을 뿐 아니라 채널에서도 가맹사업, 마트, 백화점, 면세점까지 다양한 채널로 브랜드를 확장하고 있었다. 본사 내부에서는 이미 중국 진출 준비가 거의 막바지 단계에 이르렀다고 했다. 중국 사업을 주도할 KK라는 팀장과 4명의 마케팅 부문 담당들이 이미 편성되었고 나는 그 5명의 주재원이 너무나 부럽기만 했다. KK는 매우 젊은 나이에 능력을 인정받아 초고속 승진을 한 유명한 팀장이었다. 중국 진출에 대한 소식을 들으면서 문득 지역사업부로 입사한 내가 아무리 회사에서 능력 있다고 평가받는다고 해도 주재원으로 가는 길은 쉽지 않을 것이라는 생각이 들면서 어느 순간 의기소침해져 있었다. 본사에서 종일 진행된 회의가 모두 끝나고 우리는 송년회 장소로 이동했다. 대표님의 인사 말씀과 함께 첫 송년회가 시작되었다. 올해는 작은 레스토랑에서 시작하지만 내년도에는 브랜드가 더 성장해서 큰 호텔을 빌려서 송년회를 할 수 있도록 할 것이고, 회사 내 최고의 브랜드가 될 수 있도록 우리 다같이 만들어 나가자는 비전제시가 주된 내용이었다. 이 날의 우리가 모여서 한 얘기들은 실제로 2-3년 후에 현실로 이루어졌다. 우리 영업부는 지역과 본사영업팀이 함께 모여서 축배의 잔을 들었고 밤은 점점 깊어만 갔다. 마지막 송년회가 끝나갈 무렵 사회자가 오늘의 하이라이트인 대상 시상에 대해서 설명했다. 오늘의 송년회에서는 마케팅 사업부와 영업 사업부 2개 부문에 대해 시상이 있고 각 부문 대상은 상금 200만원과 트로피를 수여한다는 것이었다. 마케팅 부문에서는 핵심 대표 제품을 개발한 P가 마케팅 대상을 수상했다. 그리고 이어서 영업사업부에서 대상 발표자를 조마조마하게 기다리고 있는데 사회자는 나의 이름을 호명하였다. 가고 싶었던 주재원은 비록 당장은 가지 못했지만 회사 내에서 점점 더 확고한 입지를 다지고 있는 내가 자랑스러웠다. 영업부문 대상을 막상 받게 되니 그동안 3K에게 받은 고통을 이겨내고 회사에서 생존하기 위한 나의 노력이 조금의 결실을 맺었다는 생각에 눈물이 왈칵 쏟아지기 시작했다.

[episode 11 tip]

지금은 오프라인 매장의 매출이 코로나의 영향과 온라인 비즈니스의 발달로 많은 부분 쇠퇴하였다. 오프라인 매장에 대해서 전문가인 저자는 국내에서 아직 미완성의 브랜드가 엄청나게 성공하는 모습을 생생히 경험했고, 스스로 개척한 중국시장과 호주시장에서도 무에서 유를 창조해 본 경험을 가지고 있다. 여러분이 처음 시작하는 프로젝트 업무가 처음에는 미약하게 시작할 것이겠지만 여러분의 땀과 노력이 진정성 있게 들어가게 되면 우리도 모르는 사이 그 프로젝트와 비즈니스가 엄청나게 성공하는 경험을 여러분 스스로 느끼게 될 것이다.

여러분도 회사 생활을 하면서 어떠한 도전적인 프로젝트나 업무를 수행하는 기회를 가지게 될 것이다. 이러한 업무가 내부역량에도 도움이 될 것이고, 나중에 우리가 돼지우리 밖을 나가서 본인 비즈니스를 했을 때 더 큰 도움을 줄 수 있을 것이다. 이러한 프로젝트가 어렵다고 느껴져 다른 사람이 진행하지 않고 있다면, 여러분이 한 번 시작해 보기를 추천한다. 만약에 도전에 실패하더라도 실패에서 얻는 큰 경험을 여러분은 알게 될 것이다. 17년동안 회사 생활을 하면서 내가 도전할 수 있는 업무가 없었다면 아마도 장기간 회사를 다닐 수 없을 것이다. 회사생활에서도 항상 도전하고 용기 있는 여러분이 되기를 바란다.

Episode 12. 무대에 올라서다

2010년 무렵에는 왜 그리도 회사 교육이 많았는지 우리 회사에서는 식스시그마 교육, CS교육, 영업력강화교육 등의 다양한 교육과 경쟁 발표 대회를 진행하였다. 그 중에서도 영업부문에서는 매장관리를 잘하기 위해서 어떻게 데이터를 분석하고, 이를 기반으로 어떠한 프로모션을 진행해서 성공을 거두었는지에 대해 본사와 각 지역 영업 담당들이 작성한 발표자료를 공유하는 브랜드 내부 발표 대회가 열렸다. 사실 이 당시만해도 남들 앞에 서서 발표를 하는 게 너무도 싫었다. 하지만 부산영업팀에서는 선임담당인 내가 나갈 수 밖에 없는 위치였기 때문에, 직영점의 매니저와 함께 팀을 이루어서 발표를 하게 되었다. 지금도 솔직히 발표나 강의를 할 때 아주 편하다고는 얘기할 수 없다. 하면 할수록 어려운 것이 강의이고 발표인 것 같다. 그래서 강의나 발표가 있으면 남들이 하는 것 보다 2배는 더 준비를 많이 한다. 다행히도 선천적으로 타인을 웃기고 발표 주제에서 포인트를 찾아내는 센스가 있었고, 직영점 매니저가 기대이상으로 발표를 매우 차분하게 잘해 주었기에 우리 브랜드 내에서 1등을 하게 되었다. 문제의 발단은 여기서부터 시작되었다. 팀장이 어느 날 아침 조용히 불러 얘기를 꺼냈다. "정과장! 이번에 전사 브랜드에서 영업력 올림픽이라는 혁신대회가 열리는데 우리 브랜드 영업부문 대표로 정과장과 매니저가 발표해야 한다고 본사서 연락이 왔어" 전사 혁신대회는 1년에 한 번 있는 가장 큰 규모의 회사 발표 대회였고 CEO, 임원, 전사팀장을 포함해서 청중만 500명이 넘는 대규모의 행사였다. 500명의 청중에 CEO까지 참석하는 대회에 내가 브랜드 대표로 발표를 해야 한다고 상상하니 심장이 미친듯이 급격히 뛰기 시작했다. 약 3개월간 발표자료를 계속해서 수정하고 스피치를 준비하였다. 마침내 발표 당일이 다가왔다. 이 당시만 해도 이렇게 많은 사람 앞에서 발표를 할 때 어떻게 준비해야 하는지 어떻게 발표를 해야 하는지 전혀 알지 몰랐다. 500명 이상의 청중 앞에서 발표한 경험이 전혀 없었으니 당연한 얘기 일수 있을 것이다. 발표 전날 무대에서 각 브랜드별 발표자들이 전부 한자리에 모여서 리허설을 진행했다. 여러분이 쉽게 상상할 수 있도록 얘기하자면 애플 스티브잡스가 신제품 런칭 시 발표하던 장소와 거의 유사한 규모 스테이지와 스크린이 배치되어 있는 장소라고 생각하면 쉽게 상상이 될 것이다. 실제적으로 발표를 하지 않고 브랜드 발표자들은 발표 자료 PPT만 넘기고 자료, 동영상에 문제가 없는지를 체크하였다. 아마도 경쟁브랜드에 미리 발표를 공유하지 않으려고 실제 발표는 하지 않았고, 동선과 분위기만 체크한 것이었다. 리허설이 끝난 늦은 새벽까지 걱정과 두려움으로 나는 잠을 쉽게 청할 수가 없었다. 과연 이 많은 청중들 앞에서 무사히 발표를 잘 끝낼 수 있을지 걱정이 더 밀려오기 시작하는 밤이 지나고 있었다. 무대에 오른 나는 청중이 전혀 보이지 않았다. 긴장을 한 탓인지 재미나게 해야 하는 발표 부분에서도 그 맛을 살릴 수가 없었다. 나의 장점인 애드리브도 통하지 않았다. 사이즈가 다른 무대였다. 나의 발표에 반응이 없으니 더 긴장하기 시작했다. 어떻게 발표를 했는지도 모르게 이미 어느 순간 발표는 끝이나 있었다.

청중은 500명이 넘었고 CEO를 비롯한 모든 임원진이 참석한 대회였다. 뒤늦었지만 이렇게 큰 대회를 통해서 어떻게 발표를 준비해야 하는지에 대해서 깨닫게 되었다. 이런 큰 무대는 스토리 자체를 완전히 암기해야 하며 계속 반복해서 발표를 연습해야 했다. 이렇게 큰 무대에서는 완전히 발표 스크립트를 암기하고 스토리를 완벽하게 구성해서 여러 번 반복해서 실수를 줄일 수 있다는 사실을 깨닫게 되었다. 실전 무대에서 만약에 긴장하더라도 스토리는 그 안에서 아주 미세하게 움직일 뿐, 그 암기한 내용대로 발표하게 되어 있는 것을 이 대회를 통해서 크게 경험하였다. 큰 대회가 처음이라 그렇게 준비하지 않았던 것이다. 평소에 발표했던 작은 무대에서 그저 발표한 상황에 따라 발표를 이어 나가면 된다고 생각한 오만한 결과였다. 지금 돌이켜 생각해보면 이런 경험들이 발표나 강의를 준비할 때 나만의 방식을 만들고, 준비하게 해 준 밑거름의 원천이 되었다고 할 수 있다. 발표대회의 모든 발표가 종료되고, 나는 결국 참가상의 하나인 장려상을 받게 되었다. 회사생활에서 평생 한번 있을지 없을지 모를 큰 기회를 이렇게 허무하게 놓치게 되었다. 하지만 사실 3년이 지난 후에 나는 글로벌 디비전 발표자로 뽑혀 다시 한번의 기회를 얻게 된다. 무대가 끝나고 회식자리에서 대표님이 얘기하셨다. "정과장, 너가 그렇지. 그럴 줄 알았어.~" 대표의 진심은 아니었을 것이다. 나의 대한 기대가 실망으로 바뀌면서 술기운에 얘기한 것이었다. 겨우 3-4년 차에 많은 상을 받으면서 제대로 준비하지 않고 발표한 나의 오만한 결과였다. 무르익기까지 아직도 시간이 더 필요했다. 기진맥진한 몸을 이끌고 부산행 열차에 몸을 실으며 좀 더 겸손하고 성숙한 사람이 되기로 결심하고 있었다.

[episode 12 tip]

회사에서 또는 사회, 학교에서 여러분들도 발표할 일이 많을 것이다. 발표자의 스타일과 준비하는 방식은 다들 다른 방식일 것이다. 저자는 해야 할 강의가 2시간이라고 하면 PPT 작성과 함께 약 10시간의 실제 리허설을 진행하고 강의를 하러 간다. 즉 PPT 자료를 만들고, 또 스크립트 2시간을 만들고, 리허설 5번을 하면 대략 2-3일간을 2시간의 강의를 위해 투자하고 있는 것이다. 저자는 단 2시간의 강의에 10명이 참석할지라도 유익한 강의와 준비된 강의를 하는 것이 그 강의를 듣는 참가자들에 대한 예의라고 생각한다. 여러분들도 회사에서 중요한 발표를 할 기회가 생긴다면 본인이 생각하는 것보다 10배 이상은 준비해서 진행하시고 좋은 결과를 이루어 내길 기대한다.

## Episode 13. 조직 내의 갈등

부산영업팀에는 팀장, 필, 제프 외에도 전임직 쩡과 영이 있었다. 두명의 전임직은 지금의 MZ세대와 비슷한 면이 많았다.

본인들이 싫은 일에는 과감히 싫다고 하고 자신들의 의견이 주체적으로 강한 편이었다. 지금 되돌아 생각해보면 그들이 옳은 방향이고, 우리가 구세대를 탈피 하지 못했던 것 같다. 쩡은 항상 팀장과 사이가 좋지 않았다. 영업직 특성상 외근이 많았는데 쩡은 가끔 본인 담당구역 매장을 가지 않고 다른 길로 빠지는 경우가 종종 있었다. 팀장은 쩡에게 자주 전화를 했다. "쩡이님 어딥니까? 저 울산 xx마트인데요. 그래요? 매장 전화로 퇴근할 때 전화주세요". 팀장은 항상 쩡이를 예의 주시했고 제프와 낙하산도 쩡이와 평등하기 위해 매번 퇴근 전, 외근 중에 위치를 보고해야 했다. 지금이야 이렇게 해서도 안 되고 할 수도 없겠지만 그 당시에는 가능한 일이었다. 제프와 쩡이의 갈등도 있었다. 제프는 일반직으로 입사했지만 쩡이보다 입사가 늦었기에 쩡이는 항상 제프를 무시하고 둘은 티격태격했었다. 쩡이는 제프의 심기를 가끔씩 건드렸다. "제프님은 이런 것도 잘 못하시네요. 보통 이런 거는 금방 배우는데" 나는 이들과 팀장, 제프와의 갈등을 해소하기 위해 회식도 하고 따로 만나서 서로의 하소연도 들어주었다. 이 당시에 아마 내가 처음으로 조직을 어떻게 통솔해야 하고 팀멤버들을 어떻게 조율하는지를 자연적으로 배우고 경험했던 것 같다. 팀을 새로 구성할 때 가장 중요한 것은 채용이고 직원을  잘못 채용하면 이미 50%는 실패하는 것을 이 당시 깨달았던 것이다. 그리고 나머지 실패는 잘못된 조직구조와 HRD 문화, 인센티브 결여의 상태에서 직원들을 독려하면 그 조직은 아무리 전략이 좋고 문화가 좋아도 100% 실패하는 조직이 된다는 사실을 인지하게 되었다. 부산영업팀은 바람 잘 날 없었지만 특별히 큰 문제나 갈등은 더 이상 일어나지 않았다. 이렇게 아무일 없는 듯 시간은 잘 흘러가고 있었다. 어느날 외근 중 팀장에게서 전화가 왔다. "정과장! 외근중인거 아는데 지금 어디지? 본사에 전략팀에서 연락이 왔는데 사무실로 좀 빨리 들어와야겠어." 나는 서둘러 외근업무를 마무리하고 사무실로 발길을 돌렸다. 뭔가 중요한 일이 발생했다는 것을 느낌상 알 수 있었다.

[episode 13 tip]

여러분들이 리더에 자리에 오르면 가장 힘든 일이 직원들 사이의 갈등관리일 것이다. 즉 인적자원관리가 가장 리더십에 중요한 요소라고 저자는 말하고 싶다. 리더십은 어려운 것이 아니다. 진정한 리더십은 진정성으로 직원을 관리하고 직원들의 내외부적 갈등을 해결하며, 회사 내부에서 그들의 역량을 개발하고 역량에 적합한 장소에 배치해서 그들이 성장하게 만드는 것이 리더십이다. 또한 어려운 목표라도 좋은 팀워크를 만들어서 회사가 원하는 목표를 향해 함께 돌진하는 것이다. 이러한 목표를 향해 전쟁터로 달려가는데 병사들이 서로 비방하고 군내부 조직에서 갈등이 일어난다면 전쟁에서 승리할 수 있을까? 회사의 리더십 또한 이와 같다고 말할 수 있다. 회사가 원하는 방향을 리더가 제시하고 이에 대한 전략과 전술을 실행 할 수 있도록 리더는 빠른 의사결정과 추진력으로 팀을 이끌면 되는 것이다. 지금의 많은 회사들은 이 단순한 공식을 제대로 실천하지 못하고 있다. 기본 방정식도 모르는 회사들이 미분,적분을 하고 있으니 제대로 회사가 돌아가지 않는 경우가 많다. 지금의 CEO들은 진정으로 회사가 원하는 방향으로 나아갈 수 있는 장수들을 배치했는지, 스스로에게 질문을 던져 보아야 할 것이다. 역사적으로 임금이 나라를 다스릴 때 진정한 성군이 되지 못한 것은 임금이 백성의 생활과 환경을 제대로 보지 못하게 눈과 귀를 막은 간신들에게 있을 것이다. 아직도 많은 회사에서 간신들은 자신들이 풍족한 꿀꿀이 죽을 위하고, 돼지우리 내에서 중요한 권력을 지속하기 위해 우두머리에게 잘못된 간언을 하는 경우가 있다는 것을 우리 시대를 살아가는 CEO들은 반드시 고민하고 생각해야 할 문제라고 저자는 말하고 싶다.

Episode 14. 아직은 때가 아니다.

다급한 김팀장의 호출에 외근 후 서둘러 사무실로 복귀했다. 본사에서 온 연락의 내용은 큰 조직개편과 이동발령이 있을 것이라는 내용이었다. 그리고 핵심의 전달 내용은 전략팀에 근무하던 팀장이 글로벌진출을 앞두고 글로벌 부서 팀장으로 이동발령이 있을 것이고 전략팀의 선임 담당으로 나를 이동발령 내고 싶다는 내용이었다. 이 소식을 듣자 눈 앞이 까마득해 졌다.

사실 지역에서 해외로 바로 가는 경우는 지금까지 한번도 없었기에 본사에서 한번 근무를 하고 해외로 이동하는 것이 일반적인 프로세스라는 것은 이미 잘 알고 있었다. 하지만 전략팀은 내가 가고 싶은 팀이 아니었다. 본사에서 혁신대회 준비를 하면서 전략팀 담당들이 어떻게 근무하는지를 누구보다 잘 알고 있었다. 거짓말을 조금 보태면 새벽까지 일하다가 집에 가서 잠시 누웠다가 옷만 갈아입고 나오는 것이 그들의 일상 다반사였다. 사실 그것이 문제가 아니었다. 더 큰 문제는 전략팀의 선임담당의 포지션은 팀과 포지션의 중요성 때문에 그 자리에서 다른 곳으로 쉽게 이동할 수 없다는 것이었다. 나는 깊은 고민에 빠질 수 밖에 없었다. 해외 주재원으로 가기 위해서는 본사로 올라가야 한다. 하지만 전략팀 선임으로 자리잡게 되면 영원히 그 자리에서 쉽게 빠져나오기 힘들 것이다. 사무실을 잠시나와 생각을 정리하기로 했다. "다른 기회를 노리자! 이번은 아니다." 나는 팀장님께 간곡히 부탁했다. "팀장님! 이번에 제가 부산에 집도 구매하고 첫째도 어리고 아직 개인적으로도 처리해야 할 일도 많이 있어서 어수선합니다. 그리고 무엇보다 부산영업팀도 아직 조직이 완비 안되었는데 팀장님이 잘 좀 애기해주시면 안될까예??" 이 모든 건 핑계라는 것을 김팀장도 알고 있었다. 김팀장도 본사로 이동하는 것보다는 내가 몇 년 더 부산에서 같이 일하는 것이 좋았을 것이다. 팀장은 곧바로 전략팀장에게 전화를 걸어 나의 상황을 설명했다. 나는 조직에서 이동에 대해 거부하면 별로 좋지 않은 인상을 남길 것을 잘 알고 있었다. 그리고 나의 꿈인 글로벌 주재원은 점점 더 멀어져 가는 듯 보였다. 나의 선택이 옳은 결정일까? 나의 선택이 옳은 지 확신이 서질 않았다. 다행히 김팀장이 잘 보고 하게 되었고 직접 전략팀장과 통화를 나누게 되었다. "정과장! 이번은 정말 좋은 기회야. 지금은 상황이 힘들다고 하지만 다음에는 꼭 본사에 올라와야 할거야!" 다행히 큰 이슈 없이 난 부산영업팀에 남아있게 되었고 주재원의 꿈은 점점 더 멀어져 가고 있는 것처럼 보여졌다.

[episode 14 tip]

여러분도 회사에 근무하면서 여러 번의 팀 이동이 반드시 있을 것이다. 저자는 약 9-10번의 이동이 있었던 것 같다. 이동 발령이 있을 때는 본인이 원해서 이동할 경우도 있고, 소속팀과 조직의 변경으로 강제적으로 이동할 경우도 있을 것이다. 그리고 요즘은 내부에서도 자율적으로 본인이 원하는 직무에 지원할 수 있는 내부 이동 시스템들을 갖추고 있는 기업이 많다. 이러한 제도를 잘 이용하면 좋지만, 사실 이러한 시스템을 이용하더라도 본인 직속상사에게 평소 본인의 직무능력과 역량 개발 방향에 대해서 꾸준히 코칭 받고 대화하는 것이 좋은 방법이라고 말할 수 있다. 본인이 원하는 직무가 있다면, 본인의 직속상사가 인지할 수 있도록 상황에 맞게 잘 표현해야 한다. 하지만 팀 내부적인 상황들이 많이 얽혀 있기 때문에, 이러한 상황에 대한 인지없이 팀을 힘들게 하고 개인의 목적만을 위해서 이동발령을 요청한다면 오히려 회사 생활에 역풍을 맞을 수도 있으니 경계해야 한다. 팀과 조직의 이동은 개인의 의사가 제일 중요하겠지만 팀과 조직을 맡고 있는 리더들의 소통을 통해 결정되는 사안이기 때문이다. 예를 들어, 우리 영업팀에는 현재 인원이 너무 부족하고 충원을 해야 하는 상황인데, 본인은 즉시 마케팅 업무에 가고 싶다고 한다면 아무리 능력이 뛰어나도 조직에서 인정하고 대우받는 직원이 될 수 없을 것이다. 독자들은 회사 내부 상황에 맞추어 본인이 갈 수 있는 ' 때(시기)를 기다려야 한다'고 충고해주고 싶다.

Episode 15. 드디어 나에게 기회가 온 것인가?

우리 브랜드는 국내에서는 물론 중국에서도 많은 고객들에게 사랑을 받는 브랜드로 급성장하고 있었다. 2012년 글로벌 첫 국가 중국에 진출한 브랜드는 2개의 직영점을 이미 오픈하고 있었고, 중국인 소비자들에게도 브랜드 인지도를 점차 높여가고 있었다. 1명의 팀장과 4명의 마케팅 담당들이 11년 초기 진출 시 중국 주재원으로 파견되었고, 이제는 현지 직원들도 꽤 많이 채용해서 내부 조직을 정비해 나가는 중이었다. 어느 날 우연히 본사에 근무하는 선배와 통화를 하며 중국 현지에서 진행하고 있는 좋은 정보를 얻을 수 있었다. 중국법인에서 KK팀장이 비즈니스를 본격적으로 확대하기 위해서 본사 글로벌 전략팀에 영업부문에 필요한 주재원 추가 인력 파견을 요청했다는 내용이었다. KK 팀장은 아주 젊은 나이에 초고속 승진을 한 팀장이었고 나는 영업에 계속 근무했기 때문에, 마케팅 출신인 KK팀장과는 대화할 기회가 거의 없었다. 송년회 회식자리에서 잠깐 그와 마주쳐 인사 정도로 얼굴만 아는 사이였다. 들리는 회사 내부 소문에 따르면, 그는 거의 워크홀릭이며 개인의 역량은 대단하지만 팀에서는 조금은 차갑고 냉정한 보스로 직원들에게 평가받고 있었다. 그는 매우 총명하고 능력을 빠르게 인정 받아서 회사 내에서 최연소 팀장 포지션으로 승진한 아주 유명한 직원이었다. 정말 희소식이긴 했지만 KK팀장은 나를 잘 알지도 못하고 본사에서 주재원을 보내지만 중국법인 팀장의 의견이 매우 중요한 의사결정에 반영되는 것이었다. 지역출신의 영업담당인 내가 주재원으로 가는 길은 매우 험난해 보였다. 그리고 그 당시 중국 주재원을 지원하려는 능력이 뛰어난 본사 직원들이 너무 많았고, 본사를 거치지 않고 지역사업부에서 바로 주재원로 간 사례는 없었기에 큰 기대를 할 수 있는 상황이 아니었다. 나는 평소와 다름없이 팀에서 충실하게 영업하고 업무에 집중하여 시간을 보내고 있었다. 그날도 나는 팀장과 지역 매장을 돌며 외근 중이었다. 늦은 오후 팀장에게 한 통의 전화 벨소리가 울렸다. 대화를 옆에서 들어보니 본사에서 연락이 온 것이었다. “김팀장! 4명의 주재원 후보를 선발했고 영어시험과 면접을 통해서 최종 2명을 중국으로 파견 하기로 대표님이 의사결정 하셨어. 정과장도 후보로 선발되었으니 잘 준비하라고 전해줘!” 드디어 나에게도 기회가 온 것이었다. 확률적으로 50프로의 가능성이었다. 하지만 지역 출신 후보는 내가 유일했고 나머지 후보자 3명은 모두 본사 출신으로 KK와도 친분이 있는 직원들이었다. 나는 직감하고 있었다. 이번 기회는 다시 오지 않을 마지막 기회이다. 이 기회를 놓치면 나에게 더 이상의 기회는 없을 수도 있다. 나는 다짐했다. “내가 할 수 있는 최선을 다해서 준비할 것이다. 결과가 어찌되든 나는 후회하지 않는 도전을 할 것이다” 우선은 영어면접이 중요했다. 내일부터 당장 영어면접을 준비해야 한다는 생각에 가슴이 두근 두근 거리기 시작했다. 팀장과 나는 우리가 자주 가는 회사 앞 선술집으로 가서 소주 한잔을 기울이며 내가 후보가 된 사실을 자축했다. 드디어 나에게 기회가 온 것이었다.

[episode 15 tip]

여러분들이 회사 생활을 하면서 가끔 아무리 노력해도 원하는 결과를 얻지 못하는 경우를 경험할 것이다. 저자도 회사 생활에서 여러 번의 기회가 있었지만 그것이 기회인지 모르고 놓친 경험들이 있고, 노력했음에도 불구하고 내부조직의 기대에 부흥하지 못해서 실패한 경험들이 부지기수다. 여러분이 지금 신입이라면, 최소 5년에서 10년의 경험이 필요하다. 5-10년 정도는 본인 직무에 몰두해야 비로소 어느 정도 전문가로 평가 받을 수 있을 것이다. 5-10년이라는 세월이 얼마나 긴 세월인가? 하지만 여러분의 분야에서 인정받기 위해서는 위와 같은 세월이 반드시 필요하다. 투자에도 최소 자금 1억에서 3억이 필요하듯이, 여러분이 1억-3억을 저축하려면 얼마 동안의 세월을 저축해야 하는지 고민해야 한다. 회사 경력이 5년 후 여러분이 프로젝트 매니저가 되었을 때, 비로소 여러분의 진정성 있는 실력을 발휘할 수 있을 것이고 좋은 결과도 따라가게 된다. 투자도 마찬가지로 1~3억원의 초기 투자금을 5년동안 저축하고 나서 이를 잘 투자했을 때 좋은 수익으로 결과물을 창출할 수 있다. 저자가 애기하고자 하는 것은 "실력이 쌓일 때까지는 기본 구조물과 디딤돌을 만들 때 까지는 끊임없이 전진해야 하는 지속성이 중요하다는 것이다. ESG 개념에만 지속가능성이 있는 것이 아니다. 여러분의 능력을 발휘하기 위해서는 여러분 자신의 "지속가능경영"을 발전 시켜 나아가야 할 것이다.

Episode 16. 너에게 찾아온 기회를 잡아라

4명의 후보 중에 2명만이 상해에 주재원으로 갈 수 있었고 자세한 절차는 HR에서 공지를 받게 되었다. 4명 후보는 영어면접을 통한 결과와 임원진들의 종합 평가를 반영해서 결정되는 것이었다. 주재원을 빠른 시일내에 파견해야 했기에 영어면접은 후보 통지 후 바로 다음주에 30분정도로 이미 예정되어 있었다. 이렇다 보니 준비할 시간도 충분히 없었고 시험이 아닌 네이티브와 영어실력을 평가하는 테스트라 급하게 준비한다고 해서 결과가 크게 향상 되지 않을 것 같았다. 하지만 나는 영어 예상질문과 답변을 스스로 만들었고, 기본적으로 답변을 암기하면 어느정도 면접관이 질문에 답변이 가능할 것 같았다. 지금도 이러한 경험을 바탕으로 대학원 면접과 박사과정 면접에서도 이와 같은 방식으로 면접과정을 준비하였다. 영어 질문 20-30개에 대한 예상 질문과 답변을 만들게 되면 영어 질문에 당황하지 하고 답변 할 수 있었다. 유사한 질문이 아니더라도 방향성은 비슷하기 때문에 본인이 암기한 답변을 조금만 응용한다면 예상 못한 질문에도 어느정도는 답변을 할 수 있을 것이다. 영어면접은 30분 정도 진행 되었다. 크게 어렵지는 않았지만 긴장한 탓에 실력을 잘 발휘하지 못한 것 같아 걱정이 되기 시작했다. 이미 주사위는 던져졌고 차분히 이제는 결과만을 기다려야 했다. 그날도 평소와 다름없이 김팀장과 함께 직영매장과 마트, 백화점을 방문하여 매장의 상태와 프로모션 진행사항을 체크 중에 있었다. 외근 활동을 하면서도 혹시나 HR에서 오는 결과 메일이 없나 수시로 확인을 했다. 늦은 저녁이 되어서야 팀장과 함께 사무실로 복귀했고 남은 업무를 진행하고 있었다. 늦은 저녁 메일 한통이 스크린에 떴고 내용은 "축하합니다! 중국 상해 주재원으로 선발되었고 세부 출국준비에 대해서는 HR에서 상세하게 추후 공지해 드리겠습니다" 라는 내용이었다. 드디어 내가 원하던 주재원에 선발 되었고 기쁜 마음에 나는 이 사실을 부모님과 와이프에게 알렸다. 그리고 그동안 많은 것을 이해해주고 적극적으로 도와준 김팀장에게 감사의 인사를 전했다. "팀장님! 제가 떠나면 팀장님이 많이 힘드실 것 같아 걱정이네예. 정과장! 마. 걱정마라. 회사는 니 한 사람 없다고 안 돌아 가는 거 아니다. 앞으로 글로벌 인재로 잘 성장해봐라!" 역시 김팀장은 본인의 힘든 상황보다 후배가 잘 성장할 수 있는 기회를 진심으로 기뻐해 주었다. 우리는 그날 밤 오랜만에 취할 만큼 많은 술을 마셨고 너무나 좋은 저녁시간을 보냈다. 이제 가족들과 함께 상해로 가서 내가 원한 꿈을 펼칠 수 있다는 생각에 오랜만에 너무나 행복함을 느끼고 있었다. 다음날 아침 일찍 회사를 출근 하려는 순간 와이프가 나를 불러 세웠다. 뭔가 심상치 않은 모습이었다. "나 빨리 출근해야 하는데 무슨 일이야? 저녁에 얘기하면 안 돼?" 와이프의 표정에서 뭔가 예상하지 않았던 일이 발생한 것을 감지할 수 있었다.

[episode 16 tip]

여러분이 회사에 입사했거나 현재 회사를 다니고 있다면, 여러분이 되고 싶어하는 회사 내 롤모델을 선정해서 벤치마킹하라고 말해 주고 싶다. 저자는 회사 생활에서 김팀장과 그 이후에 또 여러 명의 선배를 보면서 그들에게 코칭을 받고 힘든 일이 있을 때 그들의 도움이 큰 희망이 되어서 어려운 돼지우리 생활을 극복하였다. 찾아보면 회사 내부에 본인이 앞으로 회사에서 되고 싶은 목표와 유사한 선배가 반드시 있을 것이다. 만약에 그런 선배가 없다면 극단적인지 모르겠지만 다른 회사로 이직하라고 권하고 싶다. 한마디로 회사에서 여러분이 되고자 하는 내부의 방향성과 목표가 가장 유사한 직원을 찾는 것이 중요하다. 두번째는 그와 멘토, 멘티의 진정성 있는 관계를 형성하면 더욱 좋을 것이다. 회사 내부에서 만나는 사람도 중요하고 사회에서 여러분이 활동을 통해 만나는 사람들도 중요하다. 어렸을 때 여러분들도 자주 얘기들은 "맹모삼천지교"의 의미를 잘 새겨 보아야 한다. 저자는 MBA를 다니면서 다양한 분야의 회사에서 활동하는 원우들과 교류하면서 많은 것을 배우고 느꼈다. 회사에서 알던 지인들의 총명함과 달리 정말 세상에는 지식과 실천능력이 뛰어난 인재들이 많은 것을 몸으로 느낄 수 있었다. 이러한 것을 경험할 수 있었던 것은 MBA라는 과정을 이수하면서 그들의 무리속으로 들어갔기 때문에, 그들의 행동과 지식을 실제적으로 경험할 수 있었던 것이다. 또한 학회 활동을 하면서 다양한 학교의 교수들과 교류하게 되면서 많은 지식과 경험을 간접적으로 공유 받을 수 있었다. 이러한 경험들이 공부와는 전혀 상관없던 저자가 박사과정에 도전해서 합격 할 수 있었던 실제적인 경험이다. 여러분들이 중요하게 생각해야 할 것은 당신에게 "선한 영향력"을 줄 수 있는 분들을 많이 만나기를 추천한다. 회사 또는 회사 밖의 여러가지 모임에서 스스로 모르고 있었던 잠재적인 능력을 발견할 수도 있고 다양한 인맥을 통해서 돼지우리 밖으로 나올 수 있는 시간을 단축 시킬 수 있을 것이다.

Episode 17. Good news or Bad news

급하게 출근하는 나를 붙잡은 와이프는 나에게 말했다. "나 임신한 것 같아" 분명 기쁜 소식임에 틀림없었지만 앞으로 태어날 둘째와 아직 어린 첫째(2살)를 모두 데리고 가족 전부가 중국으로 함께 가는 것이 불가능할 것 같았다. 가족과 떨어져야 할 생각과 혼자 애들 둘을 돌봐야 할 와이프가 걱정되었다. 다행히 장모님이 와이프의 육아휴직 기간동안 같이 돌봐 주시기로 했고 와이프는 장모님이 계신 시골로 가기로 결정했다. 우리 와이프는 사실 중국에 가는 것을 별로 좋아하지 않았고 중국에 대해서 아주 안 좋은 인식을 가지고 있었다. 이후에 중국에 오고 나서는 저자보다 와이프가 정말 중국 생활을 만족하게 된다. 나는 출국을 약 2주 남기고 있었고 출국 전 필요한 것들을 챙기며 혼자 단신부임으로 중국으로 가기로 최종 결정하고 회사에 통보하였다. 우리는 둘째가 어느정도 성장할 1년에서 1년반 이후에 중국에서 같이 생활하기로 최종 결정을 한 것이었다. 상해와 부산은 비행시간으로 국내선 비행시간과 같왔고 지리적으로 가까운 곳이니 언제든 보고 싶으면 자주 오겠다는 생각으로 마음을 다잡았다. 바쁘게 지내다 보면 시간은 금방 흘러 가서 가족들과 함께 할 날이 올 것이라고 확신했다. 시간은 빨리 흘러 출국날이 다가왔고 드디어 기다리던 상해로 가는 동방항공 비행기에 몸을 실었다. 비행기 안에서 절실히 기도했다. "우리 가족들을 돌봐 주시고 험한 타지에서 무사히 건강하도록 도와주세요" 김해 공항을 출발한 비행기가 도착한 푸동 공항까지는 약 1시간 반 정도로 이륙 후 수속절차를 제외한 비행시간은 국내선과 다름이 없었다. 중국과 한국이 지리적으로 정말 가까운 나라임을 다시 한번 느꼈다. 상해 푸동 공항에 도착하자마자 중국 특유의 알 수 없는 냄새가 내마음을 더 착잡하게 만드는 것 같았다. 한참을 기다려 수속을 끝내고 택시승강장으로 향했다. 이 당시에 나는 전혀 중국어를 할 수 없어서 먼저 부임한 주재원들로부터 중국어로 된 주소를 받아 임시로 머물 숙소로 찾아가게 되었다. 1달간 그곳에 머물면서 천천히 임대할 숙소를 찾기로 한 것이다. 주재원 들에게 들은 정보와 마찬가지로 역시나 중국은 말 그대로 영어가 전혀 통하지 않았다. 택시 기사와 영어로 대화하려 시도했으나 돌아오는 대답은 '모르겠다'(팅부동)이었다. 영어로는 대화가 불가능한 곳이 중국이었다. 주재원들이 미리 보내 준 주소를 택시기사에게 내밀었고 그제서야 택시가 움직이기 시작했다. 택시 기사는 퉁명스러운 표정으로 짜증을 내며 운전을 하기 시작했다. 어찌 어찌해서 주재원 두 명이 함께 거주하는 임시 거처 아파트에 도착했다. 아파트는 생각한 환경보다는 매우 쾌적했다. 같이 지낼 수 있는 주재원들이 있어서 그나마 다행이었다. 도착한 날이 일요일이었고 나는 비행과 택시에서 긴장한 탓인지 초저녁 식사 후 녹초가 되어 잠시 깊은 잠에 빠져 들었다. 늦은 밤 잠에서 깨어보니 핸드폰에 KK팀장으로부터 부재중 전화가 와 있었다. 드디어 그 유명한 KK 팀장과 대면하는 것인가?내일 그를 만나야 한다는 마음에 두려움과 불안이 밀려오기 시작했다.

[episode 17 tip]
저자는 17년동안 회사 생활에서 초반 영업팀을 제외하고는

주재원으로 중국에서 6년과 호주에서 4년의 시간을 보냈고 21년도 한국에 복귀한 후에도 글로벌팀에서 퇴사하기 전까지 근무하였다. 많은 회사들이 글로벌 주재원을 보낼 때, 주재하는 나라의 언어를 얼마나 잘 사용하는지를 가장 우선순위로 둔다. 가장 우선 순위로 둬야 할 것이 언어라는 것이다. 물론 기본적으로 만국 공통어인 영어는 해야 한다. 하지만 그 나라의 언어 소통 능력은 필수역량이 아니다. 이 책을 읽고 있는 독자 중에 글로벌 주재원을 채용하거나 파견한다면 첫번째 역량은 리더십이다. 글로벌 내에서 조직을 구성하고 팀원들을 이끌어 나가기 위해서는 무엇보다 필요한 것이 리더십이며 그 중에서도 가장 중요한 요소는 소통과 포용 그리고 다양성을 존중하는 리더십이다. 둘째로 해외사업은 빠른 의사결정과 추진력이 필요하다. 직원들이 추진력 있게 실행 할 수 있도록 의사결정을 빠르게 내려주고 코칭할 수 있는 능력이 필요하다. 셋째, 새로운 사업이나 도전에 대해 두려워하지 않는 불도저 같은 사람이 필요하다. 해외법인 설립이 오래되었고 안정적 성장을 하는 법인이 있고 아니면 법인자체를 새로 설립하고 새로운 사업을 막 시작해야 하는 법인이 있다. 새로운 사업을 위해 현지 에이전시 또는 지인을 통해 많은 네트워크를 새로 만들어야 하고 새로운 비즈니스가 가시적으로 생겼을 때 본사와의 의사결정을 통해 신속하고 빠르게 사업을 진행하는 과감성과 신속성이 주재원 역량의 중요한 한 부분이라 할 수 있다. 또한 프로젝트성 업무나 비즈니스 진행 과정에서 전쟁에 최전선을 이끄는 뛰어난 장군의 기질이 반드시 필요하다. 넷째, 직관력과 인사이트가 뛰어난 사람이 필요하다. 해외 비즈니스에서 데이터와 정보 분석력은 매우 중요하다. 이는 기본적인 역량으로 이와 더불어 사업의 방향을 직감하고 성공할 수 있다는 직관력과 통찰력을 가진 사람이 필요하다. 해외에서 근무 시 시장정보들은 제한적이고 가지고 있는 소수의 정보를 바탕으로 시장을 이끌어갈 감각적인 능력이 중요하다. 우리나라 많은 기업들이 이러한 인재를 어떻게 발굴하는지 잘 모르고 있는 것 같다. 다섯째, 조직 통솔력과 조직문화를 만들어가는 사람이 훌륭한 주재원이다. 가끔 보면 리더십은 있는데 조직의 구성원들 각각에 대해서 무관심한 리더들이 많이 있다. 저자가 생각하기에 모든 회사의 성공과 실패는 "사람에 달려있다" 구성원에게 관심을 가지고 그들을 이해할 때 진정한 통솔력이 비로소 발산된다고 생각한다. 또한 현지 문화와 한국 문화를 잘 통합해 법인만의 독특한 문화를 만들어가는 능력이 파견자에게 중요한 또 하나의 필수역량이라고 판단된다. 여섯째, 오픈마인드로 현지직원의 생각을 이해하고 소통을 잘하는 사람이 필요하다. 한국 주재원 대부분은 리더십은 뛰어나나 현지직원들의 생활과 문화를 잘 이해하지 못하는 경향이 있다. 해외에서 오랜 경험상 한국사람이나 중국사람이나 호주사람이나 공통된 부분들이 많이 있지만, 문화적차이나 커뮤니케이션 스킬의 차이로 인해 서로 오해하고 갈등하는 경우가 자주 발생했다. 직원들을 이해하려 하고 그 문화를 존중하며, 진실되게 그들을 위하는 진정성이 있는 주재원의 역량이 반드시 필요하다. 일곱째, 우리 기업의 조직문화와 현지문화를 아우르는 역량이 필요할 것이다. 우리기업의 문화는 A인데 이 나라의 문화가 B일 때 A와 B의 교집합을 이용해 갈등을 조절하고 직원들 사이의 화합을 이끌어 낼 수 있는 융통성과 결단력이 필요하다. 기업의 조직문화를 로컬직원들이 잘 이해하고 수용하도록 노력해야 하며 현지 문화를 이해해서 조직문화와 융합할 수 있도록 만드는 것이 매우 중요하다. 여덟째, 훌륭한 인재를 채용할 수 있는 감각과 센스가 있는 주재원의 역량이 필요하다. 직원을 잘못 채용하면 그 해외사업은 80프로는 실패했다고 말할 수 있을 것이다. 보통 해외에서 직원 채용 시 인성과 성격은 크게 고려하지 않고 지원자의 역량부분에 집중해서 잘못된 직원을 채용하는 경우를 자주 볼 수 있다. 좋은 인성과 감각 열정을 가진 직원을 선별하는 역량이 매우 중요하다. 일은 가르칠 수 있지만 인성은 바꾸기 힘들다. 아홉째, 회사와 브랜드에 충성하는 직원을 주재원으로 보내야 한다. 지리적으로 본사와 떨어져 있기에 믿고 신뢰할 수 있는 즉, 브랜드와 회사 충성도가 높은 직원이 필요하다. 한마디로 주인정신이 있는 그런 주재원을 판별하여 파견해야 한다. 브랜드와 회사 스스로 주인정신 있는 직원이 파견되어야 내부통제가 잘 이루어질 수 있다. 마지막으로 현지 네트워킹을 잘할 수 있는 즉 사람과의 관계형성 능력이 높은 직원이어야 한다. 모든 비즈니스는 사람이 진행하며, 글로벌 어느 국가에 가더라도 네트워킹이 매우 중요하다. 인성이 좋고, 진실성과 진정성이 있어서 현지인들에게 신뢰를 줄 수 있다면, 현지 에이전시나 이해관계자들과 돈독한 우정으로 비즈니스를 쉽게 성공시켜 나아갈 것이다. 위 10가지가 영어나 현지 언어의 구사능력보다 더 중요한 주재원의 필요역량이라고 확신한다.

# 제2화 중국에서의 6년

Episode 18. 내가 왜 여기에 있지?

아침 출근길에 KK를 드디어 만날 수 있었다. 그는 내가 걱정하고 예상했던 그 이상이었다. 좋게 얘기하면 매우 이성적인 리더이고 나쁘게 얘기하면 차가운 리더였다. 나는 일을 할 때 인간적 관계를 중요시 하는데 그는 내가 원하는 그런 부류의 사람이 아니었다. 본인의 야망에 초점화 되고 집중화 된 리더임에 틀림없었다. KK팀장이 먼저 말을 꺼냈다. "어제 전화 안 받던데 도착했으면 나한테 먼저 와야 하는거 아냐" 일요일 도착이었고 카톡으로는 도착 메세지와 월요일 출근 시 인사 드리겠다고 했는데, "무슨 주말에 연락을 하고 찾아오란 말인가?" 월요일 오전이면 만나서 같이 출근하면서 애기하면 될 일을 역시나 쉬운 사람이 아니었다. 주재원들은 매일 아침 같은 차량을 타고 출근했고 퇴근도 이 차량을 이용해야 했는데 나중에 알고 보니 이 출퇴근 밴이 족쇄였다. 그는 퇴근도 늦게 했고 퇴근 시 이 밴을 타지 않으면 늦게 일하지 않는다는 생각을 머리속에 두고 있어서, 많은 주재원들이 힘들어했다. 2012년도는 우리 브랜드가 중국에서 사업을 더 빠르게 확장해야 했기에 업무가 많을 것이라는 사실은 각오하고 있었다. 그 당시에 이미 KK가 명명한 본인포함 독수리 5형제가 있었고 2012년 나와 로버트 2명이 주재원으로 상해에 합류한 것이었다. KK는 첫날부터 많은 업무를 지시했다. 그는 오전에 A4용지에 그림을 그리기 시작했다. 사업에 필요한 전략 자료를 만들어 오라는 것이었다. 이 아침 미팅은 그가 중국을 떠나기 전까지 지속되었다. 중국에서 저자의 이름은 “따송”이기 때문에 앞으로 중국에서의 스토리에서는 저자를 따송이라 지칭하겠다. “ 따송! 너는 영업관리부터 매장오픈업무, 인원채용, 전략 등 모든 부분을 커버해야 해!” 흰 A4 용지에 그의 전략에 대한 그림을 그리면서 얘기했다. “주중에는 자료 및 업무, 미팅에 집중하고 가족도 상해에 없는데 주말에는 쉬지만 말고, 매장 순회하면서 관리하도록 해!” 그 당시를 회상해 보면 KK는 마케팅에 특화되어 있던 리더여서 영업관리에 대한 이해력은 부족했다. “매장을 주말에 가라고?” 그는 매장을 방문하고 매니저들과 소통하는 것이 큰 일이 아니라고 생각했다. 정말 상상밖에 일이 발생했다. 이제는 주말도 반납해야 한다는 생각에 한숨이 절로 나오기 시작했다. 물론 KK는 업무적으로는 스마트하고 섬세했기에 지나고 나서 생각해보면 그에게서 전략적 마인드를 많이 배웠다. 상해에서 하루가 지나고 이틀 삼일이 지나자 알 수 없는 외로움이 엄습하기 시작했다. 아침에 깨어나면 불안한 마음과 한국 가족에 대한 그리움이 밀려왔다. “여기에 내가 왜 있는거지? 도대체 무엇을 위해 있는지 후회가 밀려오기 시작했다. 의지할 사람도 없는 이곳에서 과연 내가 KK팀장과 잘 지낼 수 있을까? 당장이라도 비행기를 타고 부산으로 돌아가고 싶었다. “일주일만 더 참아보자! 일시적 Home Sick일거야. 점점 나아질 거야! “나는 흔들리는 마음을 다잡으려 노력했다. 그나마 다행이었던 것은 이미 와있던 주재원 후배 JB가 있었고 KK의 성향과 중국법인이 돌아가는 상황을 많이 알려 주었다. JB와 한인타운이 있는 홍첸루에서 술잔을 기울이면서 KK에 대한 주재원들의 많은 불만을 들을 수 있었다. “선배님! KK 팀장이 앞으로 많이 힘들게 할 거에요. 주재원 전부가 너무 힘들어해요! 저도 사실 너무 힘들어서 여기에서 얼마나 더 버틸 수 있을지 고민입니다” 진지한 후배의 고백과 상해생활의 외로움이 내가 생각했던 주재원에 대한 이상과 현실의 차를 확연하게 느끼게 해 주는 밤이었다. “앞으로 나는 어떻게 되는 것일까” 걱정과 함께 또 하루가 지나고 있었다.

[episode 18 tip]

여러분이 회사 생활을 할 때 좋은 선배를 만나야 하는 것도 중요하지만, 당신의 의사와 관계없이 회사 생활에 어려움을 겪게 하는 상사나 선배들을 반드시 만나게 될 것이다. 한 가지 저자가 회사 생활 중에 느낀 것은 어려움을 겪게 했던 선배들에게도 배울 점이 반드시 존재한다는 것이다. 그런 선배들에게도 장점이 반드시 존재하며, 본인의 성향과 업무 방식이 나와 다를 뿐이지 지나서 생각해보면 그들이 오히려 회사 생활에 잘 적응하고 업무도 냉철한 시각에서 바라봤다고 판단된다. 여러분이 지금 이러한 상황을 겪고 있다면 좀 더 멀리서 상황을 객관적으로 바로 보기를 바라며, 힘든 상황을 부정적으로 바라보지 말고, 무엇을 배울 수 있는지를 생각해 보기를 바란다.

물론 회사 생활을 하면서 여러분 후배들에게 "선한 영향력"을 끼치는 훌륭한 선배가 되기를 위해 노력해야 한다. 여러분의 후배들도 똑같이 어려움을 겪을 것이고, 이러한 어려움에 대해서 조언해주고 도움을 줄 수 있는 멋있는 선배로 성장하시길 기대한다.

## Episode 19. 팅부동(I don't know)

힘든 일주일이 지나자 나는 조금씩 상해 생활에 적응하기 시작했다. 매일 아침 출근차를 운전하는 젊은 기사 랴호와도 간단한 인사를 하고 언어는 안 통했지만 바디 랭귀지로 서로의 마음을 전달했다. 랴호는 지방에서 상해로 올라와서 가족들을 위해 돈을 벌고 있었다. 정말 순수한 청년이었지만 가끔 운전하는 모습에서 중국인들 다수가 가지고 있는 다혈질적 모습을 보이기도 하였다. 상해 부임한지 1주차가 되자마자 KK의 지시로 북경으로 혼자 출장을 가게 되었다. 매장 오픈을 하기 위해 후보점 몇 곳을 방문해서 유동객 조사와 위치적합성, 고객유형 등을 파악하기 위해서 북경 내에서도 여러 지역을 방문할 예정이었다. KK는 출장비에 대해서도 매우 민감했기 때문에 현지직원 동행없이 혼자서 첫 출장을 가야 했었다. 직원들에게 내가 방문할 주소지를 중국어로 적어 달라고 부탁했고 나는 이 메모지를 소중히 챙겨 드디어 첫 북경 출장을 위해 상해 홍차오 공항으로 출발하였다. 중국 동방항공은 유난히 딜레이가 많았다.

이 후에 알게 된 사실이지만 30분-1시간 딜레이는 평범한 수준이었다. 비행기는 1시간이 지연되어서 베이징공항에 도착했고 나는 목적지를 가기 위해 택시에 올랐다. "니하오 워야오취쩔리" 나는 간단한 인사와 목적지가 든 메모지를 보여주며 중국직원에게 배운 짧은 중국어로 여기로 가고 싶다고 택시기사에게 얘기했다. 다행히 기사는 내가 보여준 목적지를 잘 알고 있었고 나는 일단 호텔에 먼저 짐을 풀었다. 4-5개 점의 후보점을 이틀동안 점심시간과 저녁, 밤 유동시간을 조사해야 했기에 택시로 오고 가고를 여러 번 진행해야 했다. 호텔에서 첫번째 목적지까지는 호텔에 요청한 택시를 타서 쉽게 갈 수 있었다. 가까운 거리를 계속해서 이동해서 점심과 저녁, 야간 유동객 분당 트래픽을 조사해야 했기에 택시로 계속해서 이동을 해야만 했다. 번화가에는 사람들이 너무 많아서 택시를 잡기가 너무나 힘들었다. 2012년 당시만해도 띠디다쳐(중국카카오택시)가 나오기 전이었고 무질서한 택시 잡기 경쟁은 너무 힘들었다. 30분이상 기다려서 택시를 겨우 한 대 잡았고 나는 택시기사에게 내가 가고자 하는 곳에 주소 메모지를 보여주었다. 기사는 메모지를 본건지 안 본건지 나에게 손사래를 치며 내리라고 소리쳤다. "워 팅부동(난 몰라요) 그리고 쏼라쏼라" 글을 모른다는 건지 위치를 모른다는 건지 나보고 계속 내리라고 큰 고함만 내 질러 댔다. 나중에 알게 된 사실이지만 정말로 중국에 많은 기사들은 글을 읽거나 쓰지 못하는 사람들이었고 그 이유가 아니면 짧은 거리를 가기 싫어서 짧은 거리를 이용하는 승객을 내리라고 한 것, 이유는 이 둘 중에 하나인 것이었다. 30분이상을 더 기다려서 다른 택시를 타고 겨우 다른 후보점을 방문할 수 있었다.

중국에서 오픈 할 후보점을 평가할 때 우선은 후보점의 쇼핑몰이나 백화점의 전체 트래픽 정도를 조사해야 하고, 쇼핑몰의 주변이 시내상권인지, 대학상권인지, 주거지 상권인지도 파악해야 한다. 그리고 쇼핑몰 내부에 어떤 브랜드가 들어와 있는지, 규모는 어느정도인지, 주 출입구는 몇 개 이고, 브랜드가 입점할 후보점의 주변 브랜드도 살펴보고 주출입구에서 얼마나 떨어져 있는지도 확인해야 한다. 그리고 후보점을 가리는 기둥이

나 가림막은 없는지, 에스컬레이트와 얼마나 떨어져 있는지, 매장외부의 전면사이즈와 형태, 내부의 기둥 또는 매장의 형태도 잘 살펴봐야 했다. 고객 트래픽 조사는 보통 1분 단위로 10회 이상을 진행해서 평균으로 그 시간대의 분당 고객수를 조사하였다. 이 트래픽 조사는 외부조사와 내부매장 앞 조사로 진행하였고 이러한 분당 트래픽 조사를 통해서 우리는 이 매장의 예상 월 매출을 어느정도 예측하고 매장을 오픈할 지에 대해서 매주 BD(비즈니스 개발)회의를 통해서 결정하게 되는 것이다. 이러한 조사를 수행하려면 계속해서 서 있어야 했기 때문에 다음 날 아침에 일어나면 발이 통통 부어 있는 것이 다반사였다.

이렇게 하루 종일 택시기사와 실랑이하면서도 힘든 일정을 무사히 끝낼 수가 있었다. 나는 늦은 시각 호텔로 돌아왔고 하루 종일 긴장한 탓인지 온몸이 쑤시기 시작했다. 식사는 혼자 쉽게 해결할 수 있는 맥도날드에서 간단히 햄버거를 먹었고 저녁은 중국 슈퍼에서 발견한 한국 컵라면으로 허기를 채우기 시작했다. 과연 북경에서 내일은 또 어떤 어려움이 나를 기다리고 있을까? 상해와 다른 사회주의 국가의 모습이 펼쳐진 베이징의 야경을 한없이 바로 있었다.

[episode 19 tip]

이 책을 읽는 여러분이 만약 영업부분에서 근무하시는 분들이라면 영업의 경력들이 사회에 나와서 큰 도움이 될 수 있을 것이기에 전문성 강화를 위해 더 노력하셨으면 좋겠다. 필자는 이전 글에서도 언급했지만 돼지 우리 생활은 여러분들이 돼지 우리 밖 생활을 하기 위한 훈련소일 뿐이다. 여러분이 돼지 우리 밖으로 나왔을 때 돼지 우리 안의 경험들을 통해서 우리 밖의 생활에서 잘 적응하기 위한 것이다. 필자도 프랜차이즈와 직영 영업을 통해서 사람들과 어떻게 커뮤니케이션 하는지를 배웠고, 필자가 자영업이나 프랜차이즈를 오픈한다면 더 많은 사전 지식을 이미 알고 있기 때문에 성공의 가능성이 상대적으로 높을 것이다. 여러분의 직무에서 전문성을 키우기 위해서는 회사 생활 내부의 경험이 1차적으로 중요하고 외부의 다양한 프로그램을 이용해서 전문성을 높이는 것도 필요할 것이다.

Episode 20. 이 또한 다 지나가리라

베이징에서 언어장벽으로 인한 충격으로 나는 매주 푸다오(과외)를 받아보기로 결심했다. 내가 만난 과외 선생님은 복단대 출신에 한국어를 유창하게 했기 때문에 처음 쉽게 중국어를 배울 수 있었던 것 같다. 중국어를 쓰고 읽는 것 보다 말하고 듣는 것이 중요했다. 정식적인 코스보다는 대화가 필요했기에 중국어 단어와 성조 위주로 공부했다. 이렇게 공부했기 때문에 아직도 필자는 중국어를 읽고 쓰지 못한다. 그럼에도 불구하고 중국에서 6년간 직원들과 잘 소통하고 근무할 수 있었다.

주중에는 시간을 도저히 내기 힘들어서 토요일과 일요일 매주 2시간씩 공부를 하기 시작했고 6개월이 지나면서 일상적인 대화는 중국어로 하기 시작했다. 중국어로 대화가 조금씩 되기 시작하면서 중국 직원들에게 다가가기 시작했다. 매일 그들이 먹는 음식과 백주를 먹기 시작했고 그들의 문화와 음식을 이해하려고 노력했다.

그 당시 6개월이 지나고 지금은 퇴직하신 A대표가 출장을 오셨다. A 대표는 필자가 가장 존경하는 임원이었고 회사 생활하는 동안 많은 도움을 받았다. A 대표는 평범한 사원으로 출발해 나중에 회사의 가장 높은 임원 위치까지 올라가게 된다. A 대표와 함께 오픈한 상해 매장을 둘러보기 위해 같이 이동하는 중이었고 대표는 중국어를 잘 하는 본사 직원을 동반하였다. 6개월이 지나 중국어를 하는 나의 모습을 보고 의심의 눈초리로 통역하는 직원에게 물어보았다. “지금 따숑이 제대로 얘기하고 있는 거 맞나?” 통역 직원은 대답했다 “ 네. 아주 잘 소통되고 있습니다” 대표님은 원래 칭찬을 잘 하지 않는 성격이었지만 표정에서 매우 놀랍고 신기하다는 것을 느낄 수가 있었다..

그 당시 또 재밌는 일화는 매장에 근무하는 점장들이 주재원들보다 부자였다는 사실이다. 대부분 상해에서 비싼 집을 가지고 있고 심지어 2-3채를 가지고 있는 직원들도 다반사였다. 직장을 돈을 위해서 다니는게 아닌 듯하다는 생각을 많이 했다. 물론 그들 사이에서도 상해인과 비상해인의 차이가 있었던 것이다. 대부분의 상해 직원들은 상해 도시 출신이었고 이러한 상해 출신의 중국인들은 농촌에서 상해로 올라온 중국인들과 확연한 빈부격차를 가지고 있었다. 놀라운 것은 그들 내면의 생각을 정확하게 읽지는 못했지만 그러한 격차에 대한 반감이나 부러움, 시기 등이 생각보다 없어 보이는 것이 신기할 따름이었다. 아직도 이부분에 대해서는 정확하게 설명할 수 없을 것 같다. 중국직원들은 사실 한국인 정서와 크게 다르지 않았다. 하지만 다수의 한국 주재원들이 중국에 오면 그들을 비난부터 하기 시작했다. "따송! 정말 난 중국인들 천천히 일하는 모습을 보면 화가 나서 너무 힘들어!" 하지만 나는 다르게 생각했다. 그들이 한국인 고유의 감각적인 센스를 가지고 있지는 않지만 정말 똑똑한 친구들도 많았다. 그리고 그들이 하는 생각과 일처리 방식이 한국인처럼 빠르진 않지만 늦어도 신중히 하는 모습들은 본받을 만한 점도 있었다. 나는 조금씩 중국에서 회사생활을 잘 적응해가고 있었다. 그나마 마음에 맞는 주재원들이 있었기에 홍첸루(코리아타운)에서 늦은 시간까지 술잔을 기울이며 하루의 스트레스를 털어낼 수 있었다. 하지만 항상 문제는 KK팀장으로부터 시작이었다. 그는 사실 나를 별로 좋아하지 않았던 것 같다. 그가 매우 이성적이고 논리적이라면 나는 매우 감성적이고 직관적인 사람이었기 때문일 것이다. 아침에 출근하면 그는 A4용지에 그림을 그리기 시작했고 그렇게 매일 자료와 씨름했다. 물론 그와 아침에 한 이 그림 그리기가 나중에는 큰 도움이 되었다고는 할 수 있다. 나보다 1년 먼저 그를 겪은 JB는 회사를 항상 그만두려고 고민했다. JB와 얘기를 해보면서 그의 내적심리 상태가 매우 심각하다는 것을 자주 느꼈지만 내가 어떤 해결책도 제시해 줄 수는 없었다. 단지 이 말 한마디 밖에는 해줄 게 없었다. "JB! 이 또한 다 지나 갈 것이니 힘내(짜요)!"

[episode 20 tip]

해외에서 직장 생활을 하면서 가장 힘들었던 것은 다양성에 대해서 이해하는 것이었다. 여러분도 다 각기 다른 집안, 학교, 지역 출신의 직장인 동료들을 매일 만나고 생활 할 것이다. 여러분과 비슷한 성향의 동료도 있을 것이고, 살아온 환경이 너무 다르기 때문에 이해할 수 없는 상황을 겪게 될 것이다. 여러분의 친구가 아니기 때문에 조직 생활을 하면서 다양성에 대해서 다시 한번 생각해 봐야 할 필요가 있다. 우리의 뇌구조는 나의 신념과 가치관이 맞다고 세팅 되어 있기 때문에, 다른 사람의 신념과 가치관이 다를 때 "갈등"이라는 생각과 행위가 나타나게 되는 것이다. 앞에 episode에서 다수의 주재원들이 중국에 도착하고 얼마 지나지 않아서 본인의 로컬직원을 비방하게 된다. 본인이 지금까지 겪어 왔던 회사 생활의 경험과 그들의 신념과 방식이 옳다고 무조건적으로 인식하기 때문이다. 그리고 이러한 본인의 신념과 다른 방식의 다양성을 존중하고 이해하지 않는 것이다. '오픈마인드를 가져야 한다' 이런 이야기들을 많이 들어 봤을 것이다. 오픈마인드라는 것은 다양한 방식과 의견을 존중하고 이해하며 비록 나와 다른 삶을 겪어온 타인에 대해 마음을 열어 놓는 것이다.

필자도 중국의 주재원 생활 후 호주에서 4년간의 주재원 생활에서 이러한 갈등을 겪었다. 이 부분은 이후 에피소드에서 다시 언급하도록 하겠다. 결론적으로 "나는 맞고 당신은 틀리다"의 방식은 회사 생활에서 여러분들에게 "갈등" 이라는 문제를 만들게 될 것이다. 돼지 우리 밖을 나와서도 여러분과 딱 맞는 사람들과 사회 생활을 할 수 없을 것이다. 필자가 얘기하고 싶은 것은 갈등을 최소화하기 위해서는 반대로 여러분이 가지고 있는 다양성에 대한 이해, 즉 오픈마인드를 높일 수 있도록 노력해야 할 것이다.

## Episode 21. 중국인에게 정을 느끼며

상해에 있으면서 두서달에 한번은 한국 가족들을 만나러 대구를 거쳐 시골까지 버스로 이동했다. 상해 푸동공항에서 부산, 제주, 대구는 비행시간이 거의 1시간 30분 수준으로 국내선 수준이었다. 수속절차로 시간이 많이 소요되었지만, 지리적으로 정말 중국과 한국이 가까운 나라인 것을 매번 비행기를 타면서 실감할 수 있었다. 두세달에 한번씩 한국에 가면 첫째 딸 아이린은 얼굴이 몰라보게 달라져 있었고 새로운 단어도 많이 애기하고 있었다. 임신한 아내의 배는 점점 더 불러오면서 둘째는 세상에 나오기 위한 준비를 하고 있었다. 그나마 자주 한국을 갈 수 있는 지리적 위치에 있었기에 이 소중한 시간을 보내면서 힘든 시절을 무사히 잘 넘긴 것 같다. 최근에 처음 만난 분들에게 주재원으로 10년 해외에 있었다는 얘기를 하면 모두 긍정적인 반응으로 애기를 많이 하신다. 해외에서 오래 주재원으로 있고 다양한 경험을 해서 좋았을 것이라고 애기하지만 필자는 긍정적인 성향의 사람이 아닌지, 아니면 너무 해외 업무에만 힘겹게 대응해서인지 당시의 기억을 떠올리면 그다지 주재원의 생활들이 행복하지 못했던 것 같다. 하지만 한가지 즐거웠던 것은 가족들을 만나러 짧은 시간이지만 한국을 방문했을 때였다. 시골은 너무나 조용하고 평온하고 좋았고 가족들과 온전한 시간을 보낼 수 있어서 너무나 행복했다. 장모님이 해 주시는 한국음식은 지금까지 쌓인 나의 스트레스를 풀어주었고 아이린의 미소는 다시 돌아가서 일할 수 있는 재충전의 에너지를 충분히 넣어 주었다. 행복한 시간은 금방 흘러갔고 다시 상해로 돌아와야 했다. 상해로 돌아와 택시를 타고 집으로 돌아가는데 갑자기 통증이 느껴지기 시작했다. 어렸을 때부터 치과에 가는 것을 너무나 싫어했고 상해에서 치과에 가는 것은 보험 처리도 되지 않아 미루고 미루었던 것이 드디어 사단이 나기 시작한 것이었다. 밤새 고통이 밀려왔다. 이번주는 난징 재고조사를 위한 출장도 가야 하고 바쁜 스케쥴이 많이 잡혀 있어서 고통보다 업무의 공백에 대한 걱정이 앞섰다. 나는 한국에서 가져온 진통제를 먹고 통증이 가라앉기를 기도했다. 하지만 밤새도록 통증은 지속되었고 통증으로 인해서 나는 거의 잠을 잘 수가 없었다. 다음날 아침 힘든 몸을 일으켜 화장실 거울속의 내 모습을 보니 오른쪽 부풀어 오른 볼은 사탕 한 개를 물고 있는 초췌한 모습이었다. 어쨌든 출근은 해서 KK 팀장을 만나 상황을 설명하고 병원을 가고 하루를 휴가 내야겠다고 생각했다. 회사에 출근에서 거울을 보니 통증이 있었던 뺨은 더 퉁퉁 부어 있었다. 부은 얼굴을 하고 아침 미팅에 참여했다. "따송 도대체 얼굴이 왜 이런거야 어디가 아픈거야" 중국 CEO P와 영업 사업부장인 로리는 걱정스러운 표정으로 어디가 아픈지 괜찮냐고 물어보았다. 나는 괜찮지 않았지만 치아 통증으로 지난밤 힘들었던 사실을 애기했고 그들은 빨리 병원을 갔다가 일찍 퇴근하라고 따뜻하게 애기해 주었다. 이와는 반대로 오늘 예정되어 있던 난징 재고 이슈 매장을 KK는 무조건 가야 한다고 회의에서 애기하고 있었다. 이때 로리가 말했다 "KK. 꼭 가야한다면 내가 따숑이랑 같이 난징에 가겠어" 사실 로리가 굳이 갈 필요가 없었다. 이날 나는 그의 따뜻한 마음을 지금도 여전히 마음속으로 감사하게 생각하고 있다. 로리와 난징으로 가는 고속열차에서 많은 이야기를 나눌 수 있었다. 로리는 중국에서 다양한 산업군에서 영업활동을 해 온 영업 전문가였다. 젊었을 때 그는 영업을 위해 술을 많이 마시고 담배도 많이 피웠다고 한다. 건강이 안 좋아져서 죽음의 고비를 넘겨야 하는 수술도 했다고 한다. 그는 이제 술,담배를 전혀 하지 않는다. 중국에서 쇼핑몰 중요 인사들을 만나면 그들이 첫번째로 권하는 것이 담배이다. 아주 좋은 담배를 가지고 다니고 그 담배를 항상 주변에 권한다. 친근감의 표현이라고 할 수 있다. 실제로 아는 주재원은 7년간 담배를 끊었는데 중국인과 영업을 하면서 다시 담배를 피게 된 경우도 있다.

로리가 다가와 애기했다. " 따숑! 행복이 무엇이지? 가족과 건강이야. 일도 중요하지만 항상 건강을 우선시 했으면 좋겠어" 사실 이 당시에는 필자는 회사와 업무가 내 인생에서 일순위였다. 돼지우리에서 우두머리가 한 번은 되어 보고 싶었다. 그가 해주는 말은 위로가 되었지만 여전히 나에게 가장 큰 목표는 돼지 꿀꿀이죽을 많이 먹고 우리 안에서 우두머리를 향해 달려가는 것이었다.

[episode 21 tip]

여러분이 MZ세대와 잘파세대라면 아마도 워크앤라이프 밸런스가 중요하고 즐겁고 행복한 회사 생활이 아마 여러분에게 중요한 요소일 것이다. 이와 마찬가지로 필자가 다시 10년전으로 돌아가서 주재원 생활을 한다면 아마도 다른 삶을 살 것이다. 중국 여행도 다니고 좀 개인의 삶에 더 많은 시간을 투자했을 것이다. 중국에서 17개 도시 이상을 방문하면서 중국에 가장 큰 도시들은 대부분 방문했었다. 아이러니 한 것은 북경이나 선전의 쇼핑몰과 백화점은 어떤 관광객들 보다 많이 방문해서 잘 알지만, 필자는 그 흔하게 방문하는 북경의 만리장성도 가보지 못했다. 북경 출장은 못해도 20번 이상은 다녔는데 업무에만 치중하다보니 꼭 방문해야 할 여행 장소도 가보지 못했다. 사실 이런 내용은 책에 쓰기 민망했지만 진정성 있는 책을 쓰기 위해 사실 대로 애기하는 것이다. 여러분이 직장 생활 속에서 너무 회사 업무에 몰두해서 이와 같은 경험을 하시고 있다면 본인이 무엇을 원하는지에 대해 먼저 잘 질문해 보시기를 권한다. 본인의 목표가 회사에서의 성공이라면 당연히 회사 업무에 집중해야 하는 것은 당연한 일이다. 하지만 회사의 목표에 너무 집중하고 치중하다 보면 건강에 대해 소홀해 지고, 가족에게 집중하지 못하는 결과를 초래한다. 무엇이 옳고, 무엇이 틀리다고 필자도 확신할 수는 없다. 하지만 본인이 원하는 목표가 무엇이고, 앞으로 어떠한 목표를 향해 나아가는 것을 설정하는 것은 매우 중요하다. 그리고 항상 우리는 조금 여유로운 태도를 취해야 한다. 여유가 있어야 성공도 따를 것이다. 필자는 회사에서의 나의 성공을 위해서 달려갔고, 여유로운 마음가짐을 가지지 못했다. 그래서 마지막에 운이 부족한 필자는 원하는 성공을 돼지 우리 안에서 이루어 내지는 못한다. 여러분이 회사 생활에서 힘들 때 더 여유로운 마음가짐과 태도를 가진다면 여러분에게는 필자와 다른 운이 오게 될 것이다.

## Episode 22. 꽌시(guanxi)의 의미

로리와의 난징사건으로 서로가 친해지게 되면서 더 많은 중국인들을 소개로 만나게 되었다. 또한 중국 점포개발팀에는 리치라는 친구가 있었다. 리치는 럭셔리 브랜드 출신으로 중국에서 유명한 완다 쇼핑몰을 비롯해 대부분의 유통사 임직원들과 꽌시가 있었다. 리치는 리치라는 이름에 걸맞게 집안도 부유하고 부모님도 중국 공산당 간부 출신으로 우리나라로 치면 금수저에 해당되는 친구였다. 중국에 오기전부터 꽌시라는 단어에 대해서 많이 들었다. 그런데 중국에 와서도 이 꽌시라는 것이 어떠한 의미인지 정확히 알 수 없었다. 지금 돌이켜 생각해 보면 꽌시란 것은 "매우 친밀한 관계의 인적네트워크"라는 단어로 설명하고 싶다. 뉴스를 보면 꽌시를 통해 뇌물을 상납하고 이를 통해 권력이나 부를 얻는 모습들을 볼 수도 있다. 이러한 것이 모두 꽌시를 통해 이루어지는 것은 아니니 오해는 없길 바란다. 미국의 로비와는 다른 개념으로 생각해야 하는 것이 정확한 설명일듯 하다. 이렇듯 꽌시는 그만큼 그들 사이에 믿을 수 있는 진정성과 신뢰가 바탕이 되어야 형성 되어지는 것이다. 리치의 폭넓은 인간관계를 통해 부족한 중국어 실력에도 불구하고 많은 네트워크를 쌓게 되었다. 매년 우리는 중국의 완다 광장의 부사장급 외 쇼핑몰 관계자 등을 초청해서 제주도와 서울본사 비즈니스 투어를 진행하였다. 목적은 우리의 브랜드를 이해하고 좀 더 많은 협조를 구하려는 것이었다. 그들과 3박4일간 이벤트를 진행하면서 정말로 형동생 관계로 지내고 중국에 있는 동안 꽌시까지는 아니더라도 그들과의 친분관계를 돈독히 하였다. 이제 돼지우리를 탈출해서 곰곰이 "꽌시"란 의미에 대해서 생각해보면 우리나라에도 이 꽌시는 존재한다. 우리나라에서 나쁜 의미로 "학연, 지연, 혈연"으로 애기하지만, 엄연히 서구 사회에서도 이러한 네트워크는 여전히 존재한다. 애기하고 싶은 것은 돼지우리 안에서도, 돼지우리 밖에서도 우리는 사회 생활 중에 많은 사람들을 만나게 된다. 이 소중한 인연이 여러분의 인생을 희망차게 할 수도 망칠 수도 있다는 것을 애기하고 싶다.

세월이 흘러 어느 덧 중국에 부임한지도 꽤 시간이 지나 중국에서의 회사업무와 생활에 어느정도 적응하고 있었다. 어느 날 가장 아끼는 후배 JB가 저녁을 먹자고 제안했다. "형님 제가 술한잔 살께요. 할말도 있구요" JB는 주재원 생활동안 매우 검소하게 생활하고 특별한 일이 아니면 본인 비용으로 술을 마시는 경우는 드물었다. "JB 니가 술을 산다고? 왠일이야 내일은 해가 서쪽에서 뜨겠어" 말은 이렇게 했지만 JB에게서 큰 고민이 느껴졌다. JB와 함께 나는 코리아 타운으로 발걸음을 옮기고 있었다.

[episode 22 tip]

필자가 지속적으로 여러분에게 얘기하고 싶은 것은 사람과의 관계이다. 회사 생활의 모든 업무도 그 업무의 프로세스를 만들어 가는 것도 사람인 것이다. 그만큼 사람의 중요성에 대해 얘기하고 싶다. 많은 회사들이 HRD 조직에서 프로세스 개선과 혁신에 대해서는 많은 관심을 가지지만, 가장 중요한 것은 "人"이다. 다른 회사의 좋은 시스템을 도입하고 좋은 프로세스를 만드는 것도 중요하겠지만, 이보다 더 중요한 것은 조직에서 리더십을 가진 진정한 인재를 배출하는 것이고 리더들이 조직을 잘 관리하고 신입에서 중견사원들은 그들이 동기부여를 가지고 회사 업무에 임하도록 만들어야 한다. 동기부여를 하기 위해서 가장 좋은 수단이 무엇인가? 꿀꿀이죽과 우두머리가 되기 위한 직급체계이다. 직장인에게 무엇이 가장 중요한가? 연봉과 인센티브, 그리고 승진이다. 많은 회사들이 이러한 기본적인 구조를 제대로 설정하지 못하고 있다. 불분명한 평가제도와 복잡한 인센티브 구조, 그리고 수평문화를 강조해서 인간의 본성을 무시한 승진체계이다. 승진이 되었는데도 게시판에 공지가 되지 않는다. 한마디로 본인 빼고는 승진을 했는지도 알 수가 없다. 수평문화를 강조해서 팀장과 직원의 경계가 모호하고 리더가 되어도 아주 작은 인센티브만이 주어진다. 이제는 아무도 책임감이 많이 필요한 팀장이 되기 싫어한다. 아주 답답한 일이 아닐 수 없다. 저자가 MBA 졸업 후 이러한 부분을 더 개선하기 위해 박사과정을 가는 명확한 이유이며 우리나라 기업들은 이러한 조직 인사체계를 시대에 흐름에 맞게 구조적으로 체계화 해야 할 것이다.

Episode 23. JB! 돼지우리 밖은 아직 위험해

JB는 술잔을 기울이면서도 연거푸 한숨을 길게 들이 쉬었다. 나보다 중국에 먼저 주재원으로 나와서 힘들게 근무하면서도 항상 당당하고 우직한 후배였다. “형! 더 이상은 버티기 힘들 것 같아요 너무 힘들어요” 회사생활의 절반 이상은 여러분도 알다시피 사람과의 갈등 때문이다. JB는 KK 팀장의 관리 스타일 때문에 무척이나 괴로워했다. KK는 어떻게 든 성과를 빠르게 내려고 했고, 직원들을 믿고 일을 맡기기 보다는 항상 본인이 체크하고 밀어붙이는 스타일이었다. JB가 힘든 건 충분히 이해되지만 회사생활 아직 5년도 되지 않은 JB가 돼지우리 밖을 나가는 것을 추천하고 싶지 않았다. 그리고 JB는 아직 돼지우리 밖에서 무엇을 할지 큰 그림조차 그리지 않은 상황이었다. 나도 회사 생활을 하면서 정말 극한 상황에 참을 수 없던 때가 많이 있었다며 JB를 다독이기 시작했다. JB의 얘기를 듣고, 상태를 보니 우울증 거의 초기단계 이상으로 보였고, 나는 몇일간 휴가를 사용해 한국으로 갔다 오라고 권했다. JB는 수요계획, 즉 PO업무를 했고 그 당시 많은 SKU 수요관리 뿐만 아니라 중국으로 수입되는 제품 통관업무도 하고 있었다. 스트레스가 많았던 이유는 항상 인기있는 상품은 품절이 일어날 수 밖에 없고 또 인기 없는 제품은 부진제품이 될 수 밖에 없었다. SKU 수량도 엄청 많았기에 JB과 관리하는 엑셀파일을 지나가다가 보는 순간 나도 머리가 어지러워질 지경이었다. 문제는 이 모든 제품 공급의 이슈들이 JB의 잘못으로 비난되어질 때가 많았고, 그 많은 SKU들은 항상 이슈를 창출하고 있었다. 제대로 된 수요를 파악하기 위해서는 매장별 재고,창고재고,카테고리별 재고를 분석하고 판매가 원활하게 다시 판매분석을 하며 한국에서 중국으로 배송 리드타임과 통관까지 계산하여 지역별 배송과정까지 모두 분석해야 하는 어려운 작업이다. 힘들어하는 JB에게 말했다. "이 또한 지나갈거야. 조금만 참자! JB" 그의 얼굴에 떨어지는 눈물을 보게 되자 마음이 너무나 아팠다. "우린 왜 이렇게 힘든거지?" 돼지우리 안이 이렇게 힘든데 돼지우리

밖은 여기보다 더 힘들다고?! 혼잣말로 중얼거리며 착잡한 마음을 뒤로하고 집으로 발길을 돌렸다.

[episode 23 tip]
이 시대를 살아가는 다수의 직장인들은 항상 퇴사를 하고 자유로운 영혼이 되고자 한다. 대부분의 직장인들이 어려운 회사 생활과 얽매인 회사 생활에서 탈출하지 못하는 것은 미래에 대한 불확실성과 현재의 경제적 어려움 그리고 돼지 우리 밖을 나가서 무엇을 할 지에 대한 목표와 의지가 없기 때문이다. 여러분들이 이러한 생각으로 고통받을 것이라고 생각하기 때문에 몇 가지 현실적인 충고를 하려고 한다. 우선 돼지 우리 밖으로 나오기 위해서는 몇 가지 최소한의 전제조건이 필요하다. 상황이 모두 다르기 때문에 다음에 제시하는 조건은 참고 정도로 생각해 보는 것이 좋다. 첫째, 본인이 현재 결혼을 한 상태라면 최소한 본인 가정에서 자가를 보유하고 있을 정도의 경제적 상황과 향 후 2년동안 수입이 없더라도 가정이 경제적으로 버틸 상황이 되어야 한다. 만약의 본인이 미혼이라면 경제적으로 3년~5년 정도의 수입이 있다면 본인이 하고 싶은 것을 해 보기를 추천한다. 하지만 만약 여러분이 하고자 하는 비즈니스가 투자금이 많이 드는 것이라면 그러한 부분까지 경제적 자원이 충족되어야 할 것이다. 둘째, 돼지 우리 밖에서 해야 할 목표에 대해서 명확한 그림이 그려져 있어야 한다. 세부적인 준비까지 하면 좋겠지만 회사 생활을 하면서 이렇게 준비가 가능한 일들은 많지 않을 것이다. 최대한 회사 생활을 하면서 본인이 관심 있는 분야에 대해서 공부하고 준비해야 할 것이다. 셋째, 용기가 필요하다. 여러분이 직장에 오래 있으면 있을수록 회사 밖으로 나오려고 할 때 두려움은 그 시간만큼 부풀어져 있을 것이다. 주변에 반대에 부딪힐 것이고 본인 스스로도 두려움으로 결단하기가 힘들 것이다. 오랜 시간 동안 심사숙고하고 준비가 어느 정도 되었다고 판단했을 때 여러분도 용기를 내어 제2의 삶을 도전해 보길 바란다.

## Episode 24. 그녀는 순수하다.

중국에서 처음 맡은 역할은 지역전체를 통합 관리하는 영업 팀장의 역할이었다. 사실 이러한 영업의 역할은 로컬직원을 채용해서 맡기는 게 맞다. 하지만 초창기 비즈니스라 한국의 영업 프로세스와 노하우를 전달해야 했기에 한국인인 내가 처음 가장 중요한 지역인 상해를 거점으로 주변 지역인 우시, 항저우, 난징, 닝보 등의 도시를 맡았다. 사실 이 당시에 주재원 인력이 많지 않았기 때문에 인사채용, 매장오픈관리, TM전략, 중장기 전략까지 모든 일을 동시에 진행하였다. 이러한 일을 진행하기 위해서 서무역할과 통역역할을 할 수 있는 직원 채용이 필요했다. 이전에도 얘기했지만 나는 직원을 채용할 때 경력보다 인성과 열정을 더 우선시한다. 업무는 가르치면 되고 아무것도 모르는 상태에서 오히려 새 백지장에 그림을 그리는 것이 훨씬 낫다. 어설픈 경험과 지식으로 아집과 독단을 가지면 그림을 그릴 수 없게 된다. 우리는 채용을 위해 여러 명의 조선족과 한국어를 구사하는 한족을 채용하려 면접을 진행하고 있었다. 나잉은 이제 대학을 졸업하고 처음으로 면접에 임하는 것 같았다. 조선족인 나잉은 면접에 임하면서 매우 성실했고, 열정과 끈기 있는 모습을 보여주었다. 나는 직감했다. "앞으로 잘 가르치면 크게 될 친구야!" 지금도 나는 나잉과 종종 연락을 한다. 최근의 들은 소식으로는 중국 내에서 중간관리자의 직급과 높은 연봉을 받고 있다. 그녀는 지금도 나에게 잘 배워서 다른 회사에서 인정받고 있다고 얘기해주니 그 말이 진실이든, 거짓이든 감사한 일이다. 하지만 나잉과 업무를 하면서 미안한 점이 있다. 통역을 잘못 하거나, 일의 순서가 바뀌거나, 느리게 진행되는 업무상태를 보았을 때, 나의 급한 성격으로 그녀를 호되게 혼낸 기억들이 많다. 그래도 아직도 그들과 연락하고 나를 잊지 않고 명절에 안부 인사를 보내는 것을 보면 주재원 생활과 직원들과의 관계를 잘해왔다는 생각이 든다. 중국에서 나잉과 업무하면서 중국 정부나 기관의 업무에 황당해하고 답답한 일들이 많았다. 담당하는 정부 부서의 담당자에 따라 마땅히 승인되어야 할 일들이 승인 되지 않을 수 있는 경우도 있었고, 해결되지 않았던 문제도 다른 루트를 통하면 해결되는 일도 많았다. 이 후로 나는 중국에서 어려운 상황이 생겨도 분명히 해결책이 있다는 확신을 가졌고 나중에 프로젝트 진행에서도 이러한 경험을 통해 문제를 해결하였다. 나잉은 나의 스트레스를 똑같이 경험하고 있었다. 어느날 나잉이 급하게 달려와 애기했다. “따숑! 매장 오픈일정에 문제가 생긴 것 같아요” 신규 매장의 오픈일은 다가오는데 사업자등록증이 나오지 않고 있다는 것이었다.

[episode 24 tip]

여러분들이 현재 직장에 근무한다면 분명히 프로젝트나 업무 수행에서 어려운 상황을 겪고 있거나 미래에 분명이 어려운 일들이 생길 수 있을 것이다. 문제의 원인은 모든 일을 본인 스스로 해결하려고 하기 때문에 해결책을 찾을 수 없는 경우가 많다. 물론 업무의 성격에 따라 본인 스스로 문제점을 찾고 해결을 해야 하는 경우도 있다. 하지만 보통 벌어지는 문제는 분명 여러가지 유관부서가 얽혀 있을 것이기 때문에 문제의 원인을 잘 파악하고 어디서 해결책을 찾을 수 있을 지를 잘 파악해야 한다. 혼자 끙끙 앓던 문제들도 다른 유관부서와 팀원들로부터 새로운 방식의 해결책을 제시 받아 오히려 쉽게 문제를 해결할 수도 있다. 그리고 세상에 해결되지 않는 문제도 있겠지만 대부분은 일정이 딜레이 되거나 결과가 예상보다 좋지 않을 뿐이다. 여러분들에게 말하고 싶은 것은 해결할 수 없는 문제들은 우리 회사 생활에서 그렇게 많지 않을 것이고, 대부분은 여러분들과 같이 일하는 동료들과 해결할 수 있는 문제일 것이니 일어나지 않을 상황에 너무 걱정하지 말고 문제 해결에 집중한다면 반드시 어려움을 돌파할 수 있을 것이다.

Episode 25. 불가능해 보여도 해결책은 항상 있다.

자세한 애기를 들어보니 신규 오픈을 준비하는 매장들의 사업자등록증이 모두 홀딩 되어 있는 상황이었다. 사업자등록증에 관여된 정부기관에서 우리 브랜드의 사업자 등록증에 필요한 서류에 이슈를 제기하며 모든 신규 오픈점의 사업자등록증을 보류한 상황이었다. 신규 매장들의 공사가 끝나가고 있었고 쇼핑몰과의 계약시작으로 임대료는 계약시작과 함께 지급되어야 했다. 만약에 등록증이 늦게 나오면 모든 신규 쇼핑몰의 오픈시점이 딜레이 될 수도 있는 긴박한 상황이었다. 오픈이 늦어지면 그 만큼 회사는 불필요한 비용을 지급하고 손해를 입게 된다. 내가 곰곰이 생각하고 내린 결론은 "이건 내가 스스로 해결할 수 있는 문제가 아니다"라는 것이었다. 나는 서둘러 KK와 영업상무 로리, 리치에게 이 상황을 설명하고 점포개발팀 팀원들을 포함해서 로컬 직원들을 소집하였다. 리치는 이 상황을 듣고 상무국에 그의 꽌시를 통해 알아보겠다고 하였다. 몇일 후 리치와 나는 소소한 선물세트와 함께 상무국을 방문하였다. 그 곳에는 제복을 입은 직원들이 있었고 우리는 안내를 받아서 상무국의 국장실로 향했다. 나는 나잉과 함께 가서 우리 브랜드를 소개하고 한국에서 모델 초청이 있을 때 국장님을 초대하고 싶다고 하였다. 그는 매우 기뻐하고 우리 브랜드 업무에 홀딩되어 있는 사업자를 금일 내로 처리해 주기로 하였다. 사실 그 이후의 리치와 국장 사이에 어떠한 내용이 오갔고 어떠한 다른 옵션이 있었는지는 나는 확실히 알 수 없다. 풀릴 것 같지 않았던 사업자 등록증은 리치와 나의 정부 사무실 방문으로 생각보다 쉽게 해결이 되었다. 이와 유사한 사건은 중국에서 다양하게 발생하였다. 처음으로 중국 매장을 오픈할 때의 일이었다. 매장을 오픈하기 위해서는 처음에 쇼핑몰과 협의하에 시공이 들어가고 이러한 시공 후에 인테리어 집기를 설치하고 인터넷, 포스, 전화기, CCTV 등의 설치와 함께 마지막으로 제품을 진열하게 된다. 쇼핑몰의 낮 시간대에 제품을 진열할 수 없기 때문에 보통 야간에 작업을 하게 된다. 쇼핑몰의 특성에 따라 미리 배송차량이 들어올 수 있는 위치와 공간을 미리 허가 받아야 할 경우도 있다. 오픈 매장에 배송이 시작되었고 우리는 물건을 매장 내부와 매장 내 창고로 이동 시키기 시작했다. 한 30분 정도가 시간이 흘렀을 때, 한국계 인테리어 업체 담당이 나에게 다가왔다. "담당님, 지금 물건이 매장으로 들어오지 못하고 있어요" 야간 관리 스텝들이 물건을 들여놓지 못하게 한다는 것이었다. 그들이 원하는 것은 자신들에게 수고비를 지불하지 않으면 물건을 들여 놓지 않겠다는 것이었다. 하는 수 없이 그들에게 담배 여러 보루의 값을 지불할 수 밖에 없었다. 매장을 오픈하고도 이러한 일이 발생했는데, 오픈당일 오픈한 쇼핑몰에서 담당들이 매장을 방문하면 브랜드 MD 담당에게 항상 우리 제품의 선물세트를 제공하여야 했는데 일종의 관례였다. 가끔씩 모든 담당들을 챙겨줄 수 없을 때가 있었다. 오픈을 하고 갑자기 매장에서 전화가 왔고 매장 영업이 잠시 중단 되었다는 것이다. 문제의 원인은 우리 브랜드 담당 밑에 어시스트 담당이 매장의 위험이슈를 걸고 넘어지면서 매장 영업을 잠시 중단 시킨 사례들도 발생하였다. 이럴 때마다 우리 제품을 그들에게 주면서 그들의 마음을 풀어주어야 했고, 우리는 회사 내부 품의를 진행해서 재고를 맞추기 위해 제품을 다시 매장에 보내는 일이 다반사였다. 중국에서 매장을 운영하기 위해서는 이러한 상황들을 감수해야 했다. 언제쯤 중국은 청렴한 사회가 될 수 있을까? 지금의 중국은 얼마나 많이 변해 있을까? 궁금한 일이다.

[episode 25 tip]

여러분들이 직장 생활 업무에서 어려움과 맞닥뜨렸을 때 스스로 해결책을 찾는 것이 가장 좋을 것이다. 하지만 스스로 해결책을 찾을 수 있는 어려움은 진짜 어려움이 아닐 것이다. 직장 생활에서 보통 논리적이고 이성적인 능력을 중요시 하는데, 필자는 직관력과 통찰력이 더 필요하다고 생각한다. 상황에 대한 직관력과 이러한 상황이 얼마나 힘든 상황인지 그리고 어떻게 앞으로 흘러 갈 것인지에 대한 상황 판단 능력과 직관력, 통찰력이 함께 필요하다. 이러한 상황 판단 후에 직속상사와 유관부서와의 협력과 협업을 통해서 많은 문제를 해결할 수 있을 것이다. 데이터를 보는 능력도 중요하겠지만 실행력과 돌파력이 있는 직장인의 모습도 중요하다.

## Episode 26. 손이 불편한 건 괜찮아!

도시들이 계속적으로 확장되면서 영업팀도 확장되고 있었다. 영업팀의 팀장들은 대부분 로컬직원으로 채용되었고 나는 전략팀으로 이동해서 업무를 진행하였다. 영업팀에서도 서무 역할이 더 필요하게 되었는데 한족 중에서도 한국어를 할 수 있는 지원자를 면접을 통해 채용하기 시작했다. 1차로 중국 팀장들이 면접을 보았고 최종 임원 면접전에 내가 2차 면접을 보았다. 이 당시에 중국에서 한국 영화와 드라마가 인기를 끌기 시작하면서 별그대의 인기로 한 때는 상해의 코리아타운 식당이 너무 인기가 많아 중국인들이 주말마다 줄을 서서 식당을 들어가는 진풍경을 볼 수가 있었다. 그러한 영향인지 모르겠지만 한족들의 한국어 실력은 대단했다. 조선족들보다 훨씬 더 한국어를 잘하는 한족을 많이 만나 볼 수 있었다. 면접을 진행하면서 20대의 아주 착실하게 보이는 중국인 '일정'이는 한국에서 교환학생으로 2년을 전남에 있는 한 대학에서 생활했다고 한다. 2년의 대학 생활과 함께 한국 지인이 운영하는 식당과 노래방에서 아르바이트를 하며 한국에서 약 5년간의 유학과 사회 경험이 있었다. 일정이는 곰돌이 '푸우'를 연상케 하는 푸근한 얼굴로 인상이 무척이나 좋아 보였고, 말투에서 겸손함이 베어 나오는 친구였다. 너무 오래 지난 일이라 면접에서 정확히 어떤 대화를 했는지 기억이 흐릿하지만, 나의 기억속에 그는 무슨 일이든 열심히 하겠다는 열정이 보였고, 부모님에 대한 깊은 사랑과 존경심도 가지고 있었던 것으로 기억한다. 그는 2차 면접을 통과했고 마지막 최종 CEO P의 면접을 진행하여 합격하고 회사에 입사하게 되었다. 회사에 입사한 후 나는 그를 데리고 먼저 KK팀장에게 소개하였다. 그와 면담을 끝내고 KK가 악수를 청했을 때, 그는 죄송하다는 인사를 하면서 말했다. 그의 오른쪽 팔이 불편해서 왼손으로 악수를 하겠다고 한 것이다. 자세히 보니 그의 오른팔은 의족이었던 것이다. 면접에서도 나는 그의 장애를 알지 못했고 KK는 장애가 있는 그를 탐탐해 하지 않았던 것 같다. 컴퓨터로 업무 해야 할 일들이 많았고, 그러한 부분에서 오른손이 영향이 있을 것을 염려한 것이다. 일정이는 매우 씩씩한 친구였고, 본인의 장애에 대해서 다른 사람에게 숨기거나, 또는 그것을 부끄러워 하지 않았다. 물론 그가 그의 장애를 다 극복한 것은 아니겠지만 표면적으로는 매우 당당하고 멋있는 친구였다. 나는 KK팀장에게 그를 잘 살펴보겠다고 얘기했고 일정이의 1주일간의 업무를 보면서 깜짝 놀라지 않을 수 없었다. 그는 왼손으로 타자를 치는데도 일반인과 유사한 속도, 아니 일반인보다 더 빠른 속도로 컴퓨터 업무를 진행했고 낙천적이고 유쾌한 성격은 오히려 팀 분위기를 밝게 만들고 있었다. 일정이는 선천적으로 오른손이 기형으로 태어난 것이었다. 그는 다른 사람 앞에서는 절대로 의족을 벗지 않았다. 하지만 나와 함께 출장을 가서 같은 숙소에 머물게 되었을 때, 그의 의족을 풀어 나에게 보여주곤 하였다. 친해진 우리는 속마음을 같이 애기하기도 했는데 어렸을 때 본인의 장애 때문에 친구들에게 놀림과 왕따를 당했지만 본인 스스로 이러한 장애를 극복하기 위해서 부단한 노력을 했던 것이다. 아직도 대단한 것은 필자는 본성적으로 낙천적인 성격이 아니고 민감한 스타일로 밝게 살아오지 못했는데, 일정이의 모습을 보면서 많은 반성을 했던 것 같다. 우리는 최근에도 연락을 하고 있고 일정이는 아직 중국법인에서 같은 회사에 몸담고 있으며 올해 봄 한국에서 그를 다시 만날 날을 손꼽아 기다리고 있다.

[episode 26 tip]

직장 생활에서 우리는 선입견을 가지고 사람을 판단할 때가 많은 것 같다. 일부 직원들은 선입견을 넘어 잘 알지 못하면서 타인을 비방하고 소문을 만드는 경우도 많다. 회사 생활에서 다른 사람을 비방하는 직원들이 있다면 그분들과는 멀리 하시기를 충고한다. 그 분들과 친해지고 어느 순간 당신도 그들과 함께 타인을 비방하고 있을 것이며, 그러한 비난이 습관화된 직원들은 언젠가는 당신이 어려움에 처했을 때 돕는 것이 아니라 당신을 더 궁지에 몰게 할 것이다. 돼지 우리 속에서도 어떤 소속 무리에 머무는지에 따라 여러분의 인생관과 직장생활의 길이 다르게 발전하기에 항상 선하고 긍정적인 돼지우리 속 무리에 합류하시기를 권고 드린다.

Episode 27. 새로운 탄생!

그 날은 항저우에 새로운 매장 오픈으로 나는 출장 중에 있었다. 우리는 그 당시 중국의 상해를 중심으로 인근 도시 매장 오픈을 확장하고 있었고, 북쪽으로는 북경 주변에 텐진을 비롯한 많은 도시에 매장 입점을 진행하였다. 남쪽으로는 선전과

광저우 지역을 중심으로 오픈을 진행하였는데 확장의 속도는 엄청 났다. 이렇게 우리가 쉽게 확장을 할 수 있었던 이유는 시공업체를 동부, 북부, 남부로 나누어서 진행했고, 가구를 만드는 회사는 한국의 협력사가 중국에 법인을 설립했기 때문이다. 한마디로 매장을 거의 찍어내는 수준이라고 말할 수 있을 것이다. 한 달에도 최소 4-5개 이상의 매장을 오픈하였고 나중에는 거의 10개의 매장을 오픈하게 된다. 이러한 맥락에서 보면, 우리 KK팀장의 업무 프로세스와 총명함은 인정해 주어야 한다. 그는 설계도를 보면서 업체와 조율하는 업무에 초점을 두었고 나는 매장에서 실질적으로 진행해야 하는 오픈 업무를 진행했었다. 중국의 로컬 직원들은 매장 오픈에 필요한 CCTV, 인터넷, 포스 단말기, 직원 채용 및 교육 등의 업무로 너무도 바쁜 세월을 보내고 있었다.

시간이 어떻게 흘러가는지 알 수 없었다. 중국 동방항공의 마일리지는 출장의 횟수만큼 빨리 쌓여갔고 이미 VIP 클래스가 되어 있었다. 일주에 2-3번의 출장을 다녀야 했고 비행기에서 많은 시간을 보내야 했다. 이 당시에 비행기를 너무 많이 타서 지금은 별로 비행기 타는 것을 좋아하지 않는다. 물론 가족들과 여행을 갈 때는 아직도 설레는 마음이 있기는 하다.

출장 중 한국에서 급하게 전화가 왔다. 둘째의 수술 날짜가 정해졌다는 것이다. 첫째와 달리 둘째는 활달한 성격이라서 그런지 자리를 거꾸로 잡고 있어서, 정상적인 분만이 어렵다는 것이 병원의 설명이었다. 제왕절개 수술 날짜가 잡혔고 본사에 돌아온 나는 이 사실을 KK팀장에게 알렸다. KK가 말했다. " 따송! 지금 해야 할 일들이 많이 있는 거 알지? 휴가는 출산 후 최대한 바로 돌아오도록 해 " 예상했던 반응이었다. 짐을 챙겨 부산으로 입국하여 아내를 데리고 병원으로 향했다. 첫째 아이린의 출산 때가 기억이 났다. 오후 8시에 병원에 도착해서 새벽 5시가 넘어서 출산을 했고 경험이 없던 나는 당황했었다. 누구도 알려주지 않았기에 간호사가 의사의 말에 따라 아내의 배를 위에서 밀어내는 모습은 나에게 충격적이었다. 나는 무슨 안 좋은 일이 일어난 것이라고 속으로 무척이나 걱정 했었다. 여러분이 아직 결혼전이라면 이러한 상황은  큰 일이 일어난 것이 아닌, 일상적인 출산의 과정이니 필자의 경험을 통해 여러분은 당황하지 않기를 바란다. 병원에 도착한 후 수술 준비가 들어갔고 나는 아내의 머리 뒤편으로 서서 의사의 수술을 멀리서 보고 있었다. 몇 십분이 지나지 않아, 둘째 자이온이 모습을 드러냈다. 아이린은 나를 닮아서 쌍거풀이 없었는데, 자이온은 엄마를 닮아서 쌍거풀이 진하게 보이고 있었다. 30대 중반에 드디어 두 딸의 아빠가 된 것이었다. 나의 어깨는 점점 무거워지고 있었고 돼지 우리 밖으로 나가기 위해서는 더 많은 꿀꿀이 죽이 필요할 것 같았다. 아내와 함께 근처에 미리 예약한 산후 조리원으로 향했다. 아내에게 어렵게 말을 꺼냈다. "지금 오픈 업무가 너무 많이 있어서 내일 오전 비행기로 상해로 돌아가야 해~ 미안해!" 아내는 다행히 많은 것을 이해해 주었고 나는 새벽 일찍 짐을 챙겨 김해공항으로 향했다. 택시 안에서 쌍거풀이 찐한 자이온의 모습이 눈에 아른 거리기 시작했다.

[episode 27 tip]

필자는 얼마전 회사를 퇴사하고 자유로운 영혼이 되어, 돼지 우리 밖에서 진행해야 할 여러가지 일들을 준비하고 있다. 여러분들이 17년간의 직장 생활에 대해서 나에게 물어본다면 스스로에게 당당했고 맡은 업무에 충실했으며, 가족의 경제적 여건을 만들기 위해 누구보다도 열심히 일했다고 말할 수 있을 것이다. 하지만 한가지 후회되는 부분이 있다. 돼지 우리 속에서 우두머리가 되기 위해서 열심히 살았지만, 정작 가족에게 충실하지 못했던 것이 후회스럽다. 당시에는 중국과 한국에 떨어져 살았고, 앞으로 이어지는 에피소드에서 가족과 함께 중국과 호주에서 살게 되면서도 업무와 출장으로 바쁜 시간을 보냈다. 이 당시 나의 첫번째 목표는 돼지 우두머리가 되고 싶은 것이었기 때문에 가족은 나에게 2순위였다. 물론 중국과 호주에 있으면서 다양한 국가들을 가족들과 여행했지만 나의 업무 스트레스로 인해 온전한 시간을 보내지 못한 것이 매우 아쉽다. 여러분들에게 가정이 있다면, 필자와 같은 실수를 하지 않기를 바라면 1순위 인생의 목표를 가족과 당신의 행복이 되길 바란다! 반드시 Enjoy your life 하시는 삶을 향해 나아 가시길 기

도한다

Episode 28. 닝보로 가는 고속도로에서

상해에서 가까운 도시는 영업용 차량이 있었기에 젊은 기사 랴호가 운전해서 이동하는 일이 많았다. 닝보는 상해에서 3시간 정도 소요되는 거리였고 쇼핑몰의 후보점에 대해 상권을 분석하고 오픈 여부를 결정하기 위해서 KK와 함께 이동했다. 이번 후보점은 빠른 결정이 필요한 사안이었기에 KK팀장이 직접 확인하고 결정하기 위한 것이었다. 우리는 당일 아침 일찍 출발해서 당일 후보점을 살펴본 후 돌아오기로 결정했다. 아침 일찍 나온 탓에 KK와 나는 안전벨트를 맨 체 얕은 잠에 빠져들었다. 차가 비틀거리고 흔들리는 소리에 깨어 보니 차량이 고속도로 갓 길에 정차되어 있었다. 우리 차량 앞에 한 대의 낯선 차량이 보였고 한 남자가 차량에서 내리더니 우리 차를 향해 화난 표정으로 돌진하고 있었다. 아마도 고속도로에서 운전을 하면서 시비가 붙은 모양새였다. 나는 랴호를 향해 문을 열지 말라고 외쳤다. 운전석으로 다가온 남성은 화가 난 듯 중국어로 크게 소리치기 시작했고 심지어 창문을 두드리기 시작했다. 랴호를 말릴 시간도 없이 문을 열고 차에서 내렸고 두사람은 거기서 빰을 때리며 몸싸움을 하기 시작했다. 나는 문을 열고 나가서 랴호를 도우려 하였다. KK팀장이 애기했다. "따숑 내리면 안 돼" 나는 문을 열었고 그 남성은 차안에 다른 남자 두 명이 있다는 사실을 그제서야 눈치챈 모양이었다. 우리는 미숙하지만 중국어로 그만하라는 애기를 전했다. 그 남성도 차량안에 우리 두 사람을 인지하고 다시 차로 돌아갔고 아무 일도 일어나지 않았다는 듯이 그 자리를 벗어났다. 우리는 랴호에게 다친 곳이 없냐고 물어봤고 랴호는 별 문제가 아니라는 태도로 왼쪽 빰은 빨갛게 달아오른 채 다시 평소와 같이 운전대를 잡기 시작했다.

2012년도의 중국은 나의 어린 시절을 회상하게 하였다. 그들의 문화의식은 우리 아버지나 할아버지 시대의 일들이었고 가끔씩 생각나는 어린시절에 나도 겪어 봤던 일들을 기억나게 하였다. 초등학교 아니, 그때는 국민학교 시절 버스에서 술에 취해 창문을 열고 흡연하던 아저씨들이 생각이 났고, 택시에 합승해서 택시기사와 실랑이하는 승객들이 생각나고 있었다. 지금의 그들처럼 우리의 80년대도 이와 유사한 것이라 생각된다. 중국에서는 그 당시 호텔 로비에서 담배피고 심지어 엘리베이터 안에서도 흡연하는 모습들을 자주 봐왔다. 그리고 지금은 중국에서도 식당 내부에서 함부로 흡연하지 못하지만 그 당시에 모든 식당에서 흡연이 가능했다. 지금의 중국인들의 문화의식은 아마도 10년정도는 한국의 뒤쳐져 있다고 생각하면 될 것 같다. 요즘 되돌아 생각해보면, 2012년도에는 끔찍이 싫었던 중국 상해에서의 이런 생활들이 정겹게 느껴 지기도 한다.

[episode 28 tip]

직장 생활을 하면서 필자는 남의 얘기를 잘 귀담아듣지 않았다. 나름 고집이 세고 주장이 강한 편이어서 조직 생활을 하기에 최적화 된 직원이 아니었던 것이다. 한마디로 얘기하면 어느 자리에 가도 튀는 사람이었고, 이러한 것들이 직장생활에서 강점도 되었고 약점도 되었다고 판단된다. 여러분이 어떠한 성향의 사람인지는 모르겠지만, 다른 사람들의 충고는 다시 한번 깊이 생각하고 직장 생활에 임했으면 한다. 꼭 항상 내가 틀린 것은 아니지만 또 항상 나의 생각이 옳은 것은 아니기 때문이다. 조화로운 직장생활을 위해서 본인의 고집을 꺾어야 할 때도 있고, 타인의 의견을 수용할 때도 있으니 타인의 조언을 귀담아 들어 조화로운 조직생활을 하기를 바래 본다.

## Episode 29. P의 말재주

중국의 사업부장인 P는 상해의 유명대학교를 나와서 나이도 나와 비슷했는데 어린 나이에 이미 브랜드의 수장이 되었다. 특이한 점은 내가 봤을 때 영어를 매우 잘 했고, 중국어로도 말을 조리 있게 잘했던 것 같다. 직급상으로는 KK가 팀장이라 P가 더 높은 직급이었지만, 사실상 한국 주재원 팀장의 의사결정권이 훨씬 더 높았기에 둘은 항상 견제하는 사이였다. 어떻게 보면 중국인들은 참을성이 많았다. KK가 원하는 방향으로 많은 것을 따라 주었고, 그들 스스로의 힘을 키워 나아가는 동안은 발톱을 숨기고 엎드려 있었던 것으로 보인다. 어쨌든, 내가 기억하는 그는 매우 똑똑한 사람이었다. 특히 본사 미팅으로 임원진들을 만날 때의 그의 영어실력과 언변술은 본사의 임원진을 더욱 감탄하게 만든 것 같다. 지나고 생각해보니 대부분의 해외 임원진들은 언변이 좋았던 것 같다. 즉 말을 잘 하는 것이 그 해외 임원의 실력으로 착각하는 것이다. 아직도 본사의 많은 임원들은 직관력과 인사이트가 없다. 표면적으로 보이는 모습을 실력으로 착각하는 경우도 많아 보인다. P의 언변술이 좋았던 것 중에 특히 기억나는 것은 그는 CEO 또는 본사의 임원진이 애기했던 내용을 매우 유심히 기억했고, 그 내용들을 본인의 화법으로 바꾸어서 나중에 표현하곤 했다. 그러한 내용을 이 후에 다시 들은 임원진들은 당연히 그를 좋아할 수 밖에 없었을 것이다. KK는 그의 입지를 더 높이기 위해, P에 대해서는 좋지 않은 평가를 본사에 보고하곤 했다. 물론 실제적으로 맞는 부분도 있고, 틀린 부분도 있다. 이 당시 KK는 본사로부터 중국 진출의 성공으로 엄청난 인정을 받게 되고 곧 사업부장이 되었다. 사업부장이 되고 나서 KK의 성향은 그전과는 많이 바뀌게 된다. 우리 직원들에게는 다행인 일이었다. KK와 P의 사이는 적의 모습을 보였다 가도 어느 순간은 동지가 되어 있는 모습이었다. 삼국지를 읽지 않고 그들의 전략과 전술을 보면서 필자는 많은 경험을 하였다. 하지만 필자의 성격은 누구와 경쟁하고 견제하는 것을 싫어하기 때문에 이러한 경험들이 나의 인생에서 큰 도움은 되지 않는다. 하지만 사람의 마음을 읽는 능력을 배울 수 있었다.

[episode 29 tip]

직장 생활에서 여러분은 “적을 만들지 마라”고 애기하고 싶다. 여러분이 어떤 다른 직원을 싫어하게 되면, 그 직원을 그것을 느낄 수 있을 것이다. 그리고 그는 정말 당신의 적이 된다. 회사 생활에서 적을 많이 만들어서 좋을 것이 없다. 보통 많은 적을 만드는 직원들의 성향은 다른 사람의 일에 관심이 많고 다른 직원이 잘되는 것을 시기하고 질투하는 성향의 사람들이다. 지금 당신에게 적으로 보이는 직원도 시간이 흘러 당신의 지원자가 될 수 있으니 회사 내부에서 일어나는 논쟁을 최소화하고 적을 만들지 말라고 충고한다.

Episode 30. 내가 사랑한 중국의 도시들

중국에서 약 6년간 주재원으로 활동하면서 많은 중국의 도시들을 방문하였다. 필자가 좋아했던 도시가 몇 군데 있었는 데 그 중에 가장 좋아하는 도시는 서쪽의 청두였다. 청두를 좋아한 이유는 도시가 깨끗하고 이미지가 좋은 것도 있지만 가장 좋아했던 음식인 훠궈가 유명했기 때문이다. 일정이와 함께 청두에 출장을 가면 꼭 유명한 훠궈 식당에 방문해서 훠궈와 함께 칭다오 맥주를 마셨다. 일정이는 청두에서 만난 영업 매니저와 나중에 결혼까지 하게 되는데 아마 청두 출장을 자주 가면서 서로 눈이 맞은 듯하다. 청두에는 타이쿠리를 비롯한 현대적인 쇼핑몰이 많았다. 한국에서도 보지 못한 패션과 문화의 중심지였고 출장을 갈 때마다 많은 것이 빠르게 변해 있었다. 그리고 남부의 도시 선전을 좋아했는데 선전은 바로 홍콩과 인접해 있어서 선전에 가게 되면, 중국의 도시의 느낌이 아니라 홍콩에 와 있는 듯한 느낌이 들었다. 그만큼 홍콩과 인접해 있어서 환경이 쾌적하고 사람들이 활동적이다. 지인의 소개로 선전에서 주재원으로 있다가 상해로 이사한 주재원 가족을 만난 적이 있다. 그 가족은 선전에서 아파트 가격이 오르기 전에 두 채를 구입해서 10배 이상의 차익을 남기셨고 상해에 이동하셔서 또 집을 구매한 후 많은 이익을 거두셨다고 한다. 그만큼 선전은 최근에 더 발전하고 있고 부동산의 가격도 더 오르고 있었다. 우리 매장의 직원들도 지역에 따라서 다른 성향을 가지고 있었다. 북경은 아무래도 사회주의 정부가 있는 곳으로 보수적인 느낌이 강했고 반면에 상해와 청두, 선전 지역의 직원들은 다소 활동적이었다. 그 중에서도 남쪽의 광저우나 선전에서 일하는 직원들은 매우 활발하고 적극적이어서 남부지역에서 회식을 하면 힘든 일들이 많았다. "따숑! 요즘 주량이 너무 약해 진 것 같아요!" 직원들을 독한 백주를 항상 나에게 권했고 직원들 동기부여를 위해서라도 나는 힘든 백주를 마시고 토하기를 반복하였다. 하지만 이러한 중국의 분위기가 좋았고 나의 중국생활은 이제 1년 반을 지나가고 있었다.

[episode 30 tip]
여러분들이 직장에서 영업활동에 종사하거나 직원들을 관리해야 하는 직책에 있다면 진정성으로 그들에게 다가가야 한다고 말하고 싶다. 특히 영업직에 있는 직원들은 상사의 동기부여에 따라 영업력이 향상되기도 하고 줄어들기도 한다. 만약 진정성 없는 가식의 행동으로 대하면, 금방 그들도 진정성이 없다는 것을 알 수 있기 때문에 항상 직원들을 대할 때, 진실성과 진정성을 가지고 대해야 직원들도 여러분과 회사를 믿고 진정성 있게 근무할 것이다.

Episode 31. 황금알의 기회를 놓치다.
중국에서 근무하면서 한국에 잠시 방문할 기회가 있을 때마다 나는 아파트 임장을 다녔고 제주도에서 워크샵이 있을 때면, 하루 더 휴가를 내어 제주도 토지를 임장 다니곤 했다. 필자의 투자 원칙은 본인이 잘 알고 있는 지역에 투자해야 하며, 관심 있는 지역에 대해서는 장기간의 공부가 필요하다는 것이다. 여러 번 애기했지만, 회사는 투자하기 위한 최소한의 자본금을 만드는 곳이며 그 자본금으로 재테크를 실행해야 하는 것이다.
2013년 겨울 나의 고향인 부산을 방문하였다. 광안리 인근에 초고층 아파트를 유심히 보고 있었고 한 부동산을 통하여 직접 현장을 방문하였다. 초고층 4동의 아파트는 거의 90% 이상의 공정율을 보이고 있었고 부동산 소장은 본인이 2개의 분양권이 있다며 구매를 권유했다 "사장님! 지금 부동산 경기가 안 좋아서 그렇지요. 여기는 무조건 되는 곳입니다" 소장님의 말에 사실 나도 동의했다. 지하철과의 다소 거리는 있었지만 바다와 광안대교가 보이는 매력적인 투자처였다" 집으로 돌아온 나는 와이프에게 이 투자처에 대해서 알렸고 돌아온 와이프의 대답은 초등학교도 없고 교통편이 좋지 않다는 것이다. 와이프의 의견을 무시하고 투자할 수 없었기에 투자를 포기하게 되었다. 현재의 이 아파트는 그 당시 분양가에 3배 이상의 가치가 있다. 지금 와서 하는 미안한 애기이지만 와이프는 부동산에 대해서 그 당시 큰 관심도 없었고 지식이 부족했다. 항상 투자하는 것에 부정적으로 생각했고 투자에 적극적이지 못했다. 지금도 후회가 되는 것은 와이프를 설득해서 투자 했어야 했다. 그리고 아파트를 넘어서 토지에 관심을 보이기 시작했다. 중국에 있으면서 우리 브랜드와 관련있는 제주도를 자주 방문하게 되었다. 나는 제주도에 방문하면 공식적인 행사 후 하루 휴가를 내어, 미리 가지고 간 부동산 연락처를 통해 제주도 토지를 임장하였다. 제주도의 부동산들은 외지인의 토지 구매를 싫어하고, 보수적인 성향이 많아서 외지인이 왔을 때 의심을 많이 한다. 또한 구매인 입장에서도 믿을 수 있는 부동산을 만나기가 힘들었다.

제주를 방문한 어느 날, 필자가 가장 좋아하는 구좌읍에 한 부동산을 방문하였다. 제주도 토지에 관심이 있는데 "여기 이런 토지는 어떻습니까?" 제주도 소장님은 차가운 목소리로 말했다. "그런거는 나한테 물어보지 마시고 본인이 공부하세요" 나는 차분한 목소리로 나의 신상과 왜 토지를 구매하고 싶은지에 대해서 하나하나 인생사를 얘기하면서 도움을 요청했다. 그러자 소장은 나의 진정성을 느끼셨는지, 제주도의 토지와 주변 상황에 대해서 아주 명확하게 알려주었다. 몇 개의 토지들을 소개 받았지만 토지에 대해서 너무나 무지하여서 쉽게 투자를 결정하지 못하였다. 그리고 시간이 흘러 2015년, 16년도 제주도에 중국인들의 투자가 시작되면서 제주도의 토지는 없어서 못 팔게 되는 정도가 되었다. 이 당시에 제주도의 토지가 평균 2-3배 이상 상승하였고, 토지가 없어서 구매가 불가능한 상태에 이르게 되었다. 이 후 상해에 돌아와서, 또 하나의 엄청난 투자의 정보가 내 눈에 들어왔다. 해운대 해수욕장 바로 앞에 100층의 L 아파트가 들어서는 것이었다. 나는 직감적으로 확신했다. 여기는 최적의 위치이며 앞으로 이러한 위치에 고층의 아파트는 건설되지 못할 것이다. 나는 청약 통장에 300만원의 금액을 증액하였고 청약 1순위의 날을 기다리고 있었다. 한국에 와이프에게 전화를 했고 청약을 넣겠다고 얘기했다. 와이프는 얘기했다. "당신! 거기 넣는 순간 우린 이혼이야" 이 당시의 15억 이상의 아파트는 사실 상 지금의 30억 이상의 아파트라고 생각하면 되었기에 와이프는 투자의 리스크가 크다고 판단했다. 중도금도 유이자로 진행되는 것이어서 투자에 심하게 반대했던 것이다. 와이프는 지금도 이 때의 본인 의견에 대해서 미안하다는 말은 절대 하지 않지만, 아마도 속으로 매우 마음 아파했을 것이다. 이 아파트도 그 당시 분양가에 비해 2-3배 올랐고 워낙 금액이 큰 아파트라서 이제는 우리가 아무리 돈을 많이 벌어도 구매할 수 없는 먼 산이 되어 버렸다.

중국에서 2번의 아파트 투자와 제주도 토지에서 나는 실패를 맛봤다. 투자의 실패를 통해서 경험한 것은 실천하지 못한 것이다. 내가 확신한 것에 대해 행동하지 않았기 때문에 결과를 만들 수가 없었다. 그리고 자신을 100% 믿지 못한 것이다. 본인이 생각하는 것이 옳고 바른 길임에도 불구하고 다시 한 번 나를 의심했기 때문에 행동으로 옮기지 못한 것이다. 마지막으로 주변의 불필요한 소음으로 의사결정을 정확히 하지 못한 결과이다. 와이프를 설득해야 했고 내가 하고자 하는 대로 움직여야 했다. 돼지우리에서 탈출하고자 하는 꿈은 그렇게 쉽게 실현되지 않고 있었다.

[episode 31 tip]

여러분이 직장생활에서 옳다고 하는 신념이 있으시다면 본인이 원하는 방향대로 계획을 설계하고 실행하셔야 한다. 우리의 인생과 직장 생활 내에서 타인이 여러분의 인생을 대신 살아주지 않는 것을 명심해야 한다. 본인이 맞다고 확신하는 업무에는 과감하게 행동으로 옮겨야 할 때가 있다. 타인의 의견은 참고해야 하나 본인이 확신하는 일과 의사 결정에서 그들은 방해꾼이 될 뿐이다. 그리고 자기 자신을 믿어야 한다. 우리가 확신이 없는 것은 자꾸 본인의 생각과 결정에 대해서 의심하기 때문이다. 여러분이 여러분 자신을 믿을 수 없는데 어떻게 인생을 설계하고 행동할 수 있을 것인가? 지금 직장 생활을 하면서 투자를 하시는 분들은 본인이 가장 잘 아는 분야, 한마디로 가장 자신감이 있는 분야에 투자하라고 권한다. 만약에 그런 곳이 없다면 아직 투자를 할 수 있는 상황이 아닌 것이다. 투자를 위해 직접 뛰면서 공부하시기 바란다.

Episode 32. JB! 돼지 우리 밖으로 뛰쳐나가다.

걱정했던 일들은 항상 현실이 되어서 우리에게 돌아왔다. 한국에 휴가를 다녀온 JB는 뭔가 결심이 선 듯 애기했다. "선배님 많이 고민했는데 저를 위해서라도 여기를 떠나야 할 것 같아요" 이미 마음 속에 결정이 된 듯 표정이 단호했고 말투에는 확신이 있어 보였다. KK도 이 사실을 알게 되었고 나에게 계속해서 JB를 설득해 보라고 애기했다. 조금 일찍 퇴근 후 JB를 데리고 회사 근처의 우리가 자주 가서 이야기를 나누던 로컬식당으로 향했다. JB는 내가 무슨 말을 할 줄 알고 있다는 듯이 먼저 말을 꺼내기 시작했다. "선배님! 여기 있으면 행복하지 않을 것 같아요! 저는 저의 행복을 찾고 싶어요" JB의 이 한 마디에 나는 더 이상 그를 말릴 수 없었다. 앞으로 어떤 일을 할지에 대해서 물었고 JB는 원래 취미로 좋아하던 사진과 관련 된 일을 해보고 싶다고 했다. 구체적인 계획은 아직 없었지만, 이제는 JB를 응원해 줘야 할 것 같았다. 그에게 말했다. " JB 나도 곧 따라갈 테니, 돼지우리 밖에서 잘 준비해서 성공하길 형이 항상 기도할께" 우리는 마지막 술잔을 기울이며 미래의 불안을 안주삼아 깊은 대화를 이어 나가고 있었다. 아침 KK팀장의 호출에 급하게 그의 자리로 향했다. " 따송! 대표님이 JB를 설득하시기 위해서 이번 주 금요일 상해로 오시기로 했어" 대표가 직원이 퇴직하겠다고 이를 설득하러 온다는 것은 매우 이례적인 일이었다. A대표는 원래 나와 같은 부산 출신으로 회사에서는 입지전적인 분이셨다. 평사원 출신으로 지금의 부사장 직급까지 올라왔고 많은 후배들에게 존경받는 임원이었다. 나는 이 사실을 JB에게 알려주었고 그도 약간은 놀란 표정이었다. 그도 대표가 직접 중국으로 와서 본인을 퇴사하지 않게 설득하고 면담할 것이라는 것은 예측하지 못했던 것이다. 공항에 대표가 도착할 시간에 맞게 나는 랴오와 공항으로 향했다. 대표는 10분정도 늦게 도착했고 나는 그를 모시고 코리아타운의 한식당으로 갔다. 차 안에서 대표는 나에게 JB의 사직 이유에 대해서 물었고 나는 민감한 질문이라 조심스럽게 대답했다. "아무래도 해외에 있으면서 업무가 많이 힘들었고 정신적으로 번아웃 상태가 왔던 것 같습니다" 대표는 아무런 대답도 하지 않은 체

눈을 감고 무언가 생각에 빠져 있었다. 어느 덧 차량은 코리아타운 식당에 도착해 있었고 식사는 오로지 둘만의 대화로 이루어졌다. 다음날 JB는 아직도 술이 덜 깬 얼굴로 출근하였고, 어제 저녁에 많은 대화가 오갔던 것 같았다. 나는 궁금한 마음에 JB에게 대표가 어떤 대화를 했는지 알고 싶었다. "제가 원하는 한국 복귀와 마케팅 업무를 하실 수 있도록 제안 해 주셨어요" 라고 JB가 말했다. 하지만 JB는 이에 대해서도 거절을 했고 본인이 돼지 우리 밖을 나갈 것이라고 확고한 대답을 했던 것이다. 나중에 알게 된 것이지만 JB는 중국법인 내에서 타 브랜드의 중국 직원과 사귀고 있었고, 중국에서 그녀와 함께 생활하면서 개인사업을 진행할 목표가 있었던 것이었다. 실제로 그는 퇴사 후 그녀와 결혼을 했고 아들을 낳고 행복하게 중국에서 생활을 하고 있다. 필자는 아직도 JB에게 미안한 죄책감이 든다. 그 당시에 필자도 힘든 회사 생활을 빨리 접고 그를 따라 돼지 우리 밖으로 나가겠다고 확언했는데 그 약속을 바로 지킬 수 없었고, 그 이후로도 약 10년간 회사 생활을 더 하고서야 그와의 약속을 지킬 수 있었다.

[episode 32 tip]

필자는 직장생활 중 너무 힘들어서 10번이상 퇴사를 결심했었다. 실제적으로 퇴사하겠다고 밝혔던 것은 3번 정도로 기억한다. 대부분 회사 선배들 또는 상사들이 휴가를 보내주며 생각할 시간을 주었고, 많은 선후배들이 설득을 해서 회사를 지속적으로 다닐 수 있었다. 무엇보다도 지금 생각해보면, 회사를 나가는 것이 무척이나 두려웠던 것 같다. 그 때 필자가 회사를 그만 두었으면 지금은 어떠한 모습일지 어떨 때는 무척이나 궁금해진다. 우리가 사는 인생에는 항상 때가 있는 것 같다. 호주에서 복귀 후에 MBA 과정을 통해서 많은 사람들을 만났고, 학회와 협회에서 외부 사람들과 교류하면서 세상에 대한 새로운 눈을 뜬 것 같다. 여러분이 이제 막 입사한 신입이고 아직 결혼하지 않은 상황이라면, 여러분에게 기회는 이직 또는 창업일 것이다. 이직은 돼지우리에서 우리를 이동하는 것이지 결코 우리 밖을 나오는 것은 아니다. 창업은 그 만큼의 자본이나 지식이 필요할 것인데, 여러분은 그만큼의 자산과 지식이 아직은 부족할 것이라 판단된다. 회사에서 많은 경험을 쌓고 경제적으로 어느정도 자립할 수 있는 자금이 모이고, 미래에 대한 청사진이 그려지지 않았다면 돼지 우리 밖을 탈출하는 것은 잠시 보류하시기를 권고한다.

Episode 33. 1년 6개월만의 재회

2014년도 어느 겨울, 이제 중국에서 근무한지도 1년 반이 넘어서고 있었다. 막내 딸 자이온이 이제 어느 정도 성장했기에, 와이프를 설득해서 중국으로 가족이 넘어오도록 해야 했다. 계속 혼자사는 것이 외롭고 안정적인 생활이 그리웠다. 여러분들이 지금 아마 상상하는 중국과 마찬가지로 와이프는 중국에 대한 선입견을 가지고 있었다. TV에서 나오는 이상한 사건들이 모든 중국인들을 일반화하는 것과 같았다. 하지만 중국 주재원 생활을 하면서 지켜본 바로는 많은 주재원 가족들이 만족하며 생활하고 있었다. 그런 이유는 대부분이 코리아타운에 거주했고 아파트의 상태가 한국만큼은 좋다 할 수 없겠지만 거주환경이 좋은 편이었다. 무엇보다 한국 슈퍼와 한국식당, 한국 유치원 등이 주변에 많아서 중국어가 필요없이 한국어로도 생활할 수 있는 환경이었다. 인건비가 저렴해서 일주일에 몇 번씩 일하는 아주머니를 고용해서 가사일을 보조할 수 있었고 주재원 와이프들은 남는 시간에 중국어를 공부하는 등 자기개발도 할 수 있는 여건이었다. 우리는 농담삼아 "주재원 와이프는 3대가 덕을 쌓아야 할 수 있다"고 얘기하곤 했다. 상해는 외국인들이 워낙 많이 근무하는 곳이며, 한국 기업들도 매우 많았고 이로 인해 주재원 가족들도 많이 있어서 서로 의지하면서 생활하기에 매우 좋은 환경이었다. 해외에 오면 교회를 가서 많은 네트워크를 만들게 되는데 크리스찬 가족인 우리는 한인교회를 가게 되면서 인자하신 주변 지인들을 많이 만났다.

가족이 오기 위해서 우선 아파트 렌트를 준비해야 했는데 이 당시 월세는 계속해서 상승하는 추세여서 거주지를 선택하는 것이 쉽지 않은 문제였다. 무엇보다도 와이프가 집 상태를 제대로 파악할 수 없어서, 방문하는 아파트의 컨디션을 동영상으로 촬영해서 보내주었다. 상해에서 대부분의 한인들은 홍첸루와 구베이라는 한인 밀집 지역에서 주거하기 때문에 대부분의 이웃이 한국인이었고 가끔 일본인 주재원들도 이곳에서 거주하였다. 한달 정도의 노력 끝에 코리아타운에 35평 정도의 아파트를 계약하게 되었다. 그 이후에 가장 큰 문제는 한국에 있던 이사짐과 차량이었다. 차량은 아주 저렴한 가격으로 처형에게 매도했고, 전압이 맞지 않는 냉장고와 대부분의 제품들은 팔거나 부모님에게 보내게 되었다. 중국 대부분의 월세 아파트들은 냉장고, TV, 소파, 세탁기 등이 설치 되어 있었고 꼭 필요한 김치냉장고와 세탁기 등을 국제이사로 상해로 보내야 했다. 아이들의 책과 장난감 등을 포함해서 많은 박스들이 새로운 보금자리로 들어왔다. 일주일이 있으면 드디어 가족들이 상해로 오기로 하였고 그 일주일 동안은 업무가 손에 잡히지 않았다. 그날은 드디어 왔고 나는 공항에 가족들을 픽업하러 갔다. 멀리서 귀여운 아이린과 엄마품에 안긴 자이온의 모습이 보이기 시작했다. 혼자서 생활하던 지난 1년반의 세월이 생각나면서 앞으로 가족들과 함께 생활할 생각에 마음이 행복해 지기 시작했다.

[episode 33 tip]

주재원으로 향 후 파견가시는 분들을 위해 몇 가지 중요한 tip을 드리고 싶다. 우선 주재원으로 출국 전 준비 사항에 대해서 알아보면 본인이 주재하는 국가의 비자를 확인해야 한다. 보통 주재원 발령 시 출국까지 기간이 대부분 짧기 때문에 임시비자를 받고 출국 후에 장기비자를 받는 경우가 많이 있다. 호주 같은 국가는 457 TSS비자(장기비자)를 받기전에 임시비자를 받아서 근무하면서 비자를 전환하는 경우도 있기 때문에 이러한 국가별 비자 발급에 대해 잘 확인해 봐야 한다. 대기업이라도 법인설립이 처음이라면 한국에 있는 취업비자를 다루는 에이전시를 통해서 진행해야 한다. 호주 같은 국가는 비자를 받기 위해서 IELTS와 같은 전문시험 점수를 일정점수 이상 통과해야 장기 비자 지원이 가능하기 때문에 미리 시험점수를 받으면 비자 발급이 빨라질 수도 있다. 거주와 주거 문제에서는 보통은 사전출장을 통해서 현장 국가에 직접 방문한 후 로컬 부동산 에이전시를 통해서 확인해도 되고 현지에 한국인이 하는 부동산을 통해 알아봐도 된다. 기존에 주재원이 이미 주재하고 있으면 어려움이 없겠지만, 첫 주재하는 국가에 첫 주재원이라면 여러가지 어려움이 있을 것이다. 선진국은 현지 부동산을 통해서 계약하는 방법을 추천하고 후진국일수록 한국인이 하는 부동산을 통해서 하는 것이 더 좋다고 판단된다. 선진국은 현지업체가 오히려 저렴하고 신뢰할 수 있으며, 후진국일수록 현지업체에 대한 신뢰가 더 떨어지기 때문에, 수수료 비용이 조금 더 높더라도 믿을만한 한국업체를 통해 계약하는 것을 추천한다. 요즘은 미리 국가의 부동산 앱으로 기본적인 시세와 정보를 파악할 수 있기 때문에 미리 파악해서 합리적인 임대료로 계약해야 한다. 호주의 경우는 국가 domain과 같은 앱으로 미리 정보를 파악한 후 온라인 상에서 인스펙션을 신청하고 현지에서 계약을 할 수 있다. 차량구입, 가전생활, 이사에 대해서 살펴보면 자동차 구입여부는 주재할 국가에 따라 구입여부를 결정해야 한다. 상해나 싱가폴에서 생활한다면 차량구입은 포기해야 할 것이다. 상해는 차량번호판 가격만해도 몇 천만원이 넘고 싱가폴은 차량가격은 매우 비싼 것으로 유명하다. 반대로 미국, 캐나다에서 생활하게 되면 넓은 땅에서 이동하기 위해 필수적으로 차량 구입을 해야 한다. 가전생활제품은 전기코드가 맞지 않다면 대부분 새로 구입해야 하며, 국가별로 임대료

조건이 빌트인이 대부분 되어 있으면 가구,가전이 필요 없는 경우도 많이 있다. 중국은 월세 임대 계약 시 대부분 가전,가구들이 포함되어 오히려 한국에서 꼭 필요한 것들을 공간이 부족해 가져갈 수 없는 상황이 발생하기도 한다. 그래서 가전, 자동차구입은 집을 먼저 렌트 한 이후에 결정하기를 추천한다. 이사는 보통 회사에서 지정해준 업체를 통해 진행하는데, 거주할 지역까지 이사 품목 등이 얼마나 걸려 도착할지 알아봐야 하고, 귀중품목에 대해서는 이후 파손 시 보상을 받기 위해서 품목리스트에 자세한 금액과 품목을 기입해야 한다. 이 후 혹여라도 파손 발생시에 일정부분 보상을 받을 수 있다. 많은 분들이 고민을 하는 자녀 교육의 문제와 학교의 선택은 인터넷에 가장 정보가 많이 있다. 한국과 달리 대부분의 국가들은 이메일과 인터넷으로 소통하기 때문에 대부분은 직접 찾아 가지 않아도 모든 절차가 인터넷으로 지원과 송금으로 가능하다. 국제학교에 문의사항이 있으면 이메일로 미리 문의하고 지원절차도 보통은 인터넷으로 지원하기 때문에 한국에서 사전에 미리 인터넷 검색을 철저히 하여, 영문으로 한국에서 입학에 필요한 서류들을 미리 준비해야 한다. 학기는 영국학교, 미국학교 등에 따라서 상이하겠지만 보통 봄,가을학기에 입학이 가능한 것으로 알고 있다. 해외송금 및 계좌오픈은 국가별로 틀리겠지만 보통은 관광비자로 현지계좌개설을 하고 사전출장시 관광비자로도 은행계좌개설이 가능하다면 미리 개설하면 편리하다. 최근에는 카카오뱅크로 아주 큰 액수가 아니면 쉽게 송금이 가능하기에 현지 계좌 오픈을 미리 하면 한국에서 출국전에 쉽게 온라인 송금이 가능하다. 해외 장기 출국 시 재외국민 등록을 하는데 본인이 가진 부동산 소유여부에 따라 이 제도가 장점도 있고 단점도 있다고 한다. 본인도 여기에 대해서는 정확한 사항을 알려드릴 수 없으니 자세한 사항은 관련 서칭을 해보시면 될 것이다. 그리고 요즘은 재외국민 등록이 필수라고 생각되기 때문에 미리 출국전에 주소지를 국내로 이전할 것인지 재외국민으로 등록할 것인지에 대해서 결정을 해야 할 것이다. 주재원으로 발걸음을 향해 가시는 여러분에게 조금이나마 도움이 되기 위해 위의 사항을 알려드린다.

## Episode 34. 번아웃으로 뛰쳐나가려 해

주재원 생활이 2년이 넘어가면서 번아웃이 찾아오기 시작했다. 2년동안 잘 참아왔다고 생각했는데, 실제로는 마음이 병들고 정신이 피폐해 져가고 있었던 것이다. 머리 속에는 어떻게 하면 이 돼지우리를 나가서 무엇을 하며 살아갈 수 있을지에 대한 생각만이 맴돌고 있었다. 얼마전 다른 회사를 다니는 주재원 한 명이 인근 아파트에서 투신 자살을 했었다. 그는 회사 내에서 스트레스가 극도의 상태였고 갑작스럽게 자리에 일어나 아파트 난간에서 그대로 뛰어내린 것이다. 필자의 정신 상태도 아마 그와 유사했던 것이다. 일요일이 되면 월요일 출근이 두려웠고 가족과의 행복한 주말에도 회사 업무를 생각하면 고통과 괴로움, 걱정이 밀려오기 시작했다. KK팀장은 사업부장으로 승진한 후 달라진 것 같았지만, 여전히 나는 그에게서 많은 스트레스를 받고 있었다. 아침에 일어난 나는 무언가를 결심했다. 더 이상 이렇게 살아가게 되면 얼마전에 투신자살한 주재원과 같은 일이 나에게 일어나지 않으라는 법이 없을 것 같았다. 아침에 조용히 랴호가 운전하는 밴을 타고 회사로 출근했다. 출근하자마자 나는 KK에게 다가가서 면담을 요청했다. “상무님, 너무 힘들어서 저는 한국으로 돌아가야 할 것 같아요. 한국으로 복귀 후에 퇴직 절차를 진행하도록 할께요” 한국으로 복귀한 후 퇴직절차를 진행하겠다는 것은 KK 상무를 위한 나의 배려였다. 주재원이 현지에서 주재한 상태에서 퇴사하게 되면 직속상사에게도 타격이 남을 수 밖에 없기 때문이었다. KK 상무는 1주일간 휴가를 사용해서 한국이든 해외이든 여행을 갔다오라고 권했다. 여행을 후에도 마음이 변하지 않으면 하고 싶은 대로 해도 된다는 것이었다.

집으로 돌아온 후 현 상황을 알고 있는 와이프에게 얘기했다. “여보! 제주도를 잠시 다녀올께” 와이프는 허락했고 다음날 홀로 가벼운 가방을 메고 제주도로 향했다. 제주도에 도착해서 노을이 푸른 세화리의 바다를 바라보며 깊은 한숨을 쉬었다. 제주도에 아는 사람은 아무도 없었다. 그 때 이전에 만났던 부동산 소장님이 생각이 났다. 부동산에 방문했고 소장님은 다행히 나를 여전히 기억하고 있었다. 소장에게 저녁 식사를 하자고 권했고 저녁식사 시간에 소장에게 여쭸다. "소장님! 직장생활이 많이 힘들어서 회사를 그만두고 싶은데 어떻게 해야 할까요?" 소장은 내가 주재원으로 있다는 것과 여러 상황을 설명듣고 답했다. 그도 그러한 경험들이 많이 있기 때문에 짧고 간결하게 답했다. "지금의 감정과 어려움이 앞으로 지속된다면 극복할 수 없는 어려움이기 때문에 회사를 나오는 것이 맞고, 하지만 이 어려움이 영원히 지속되지는 않을 겁니다. 이 또한 지나갈 것이니 다시 한번 돌아가서 힘을 내어 보세요" 소장님에 말에 뭔가 힘이 나기 시작했다. 그래 "이 또한 반드시 지나가리라" 가족을 위해서라도 조금 더 버티고 힘을 내야 한다는 생각이 다시 들기 시작하였다. 다음날 아침에 일어나 제주도를 여행하며 마음가짐을 다시 다잡고 있었다. 제주도의 오름을 올라가면서 새로운 다짐과 스트레스를 제주 하늘에 날리기 위해 발버둥 치고 있었다.

[episode 34 tip]

직장 생활을 하면서 개인에 따라서 정도의 차이는 있겠지만 '번아웃' 상태를 경험하게 될 것이다. 번아웃 상태가 오게 되면 모든 것이 하기 싫어질 것이고 정신적으로 극도로 피폐한 상태가 될 것이다. 이러한 상황이 오게 되면 혼자 여행을 떠나기를 추천하고 가능하다면 해외로 가는 것을 추천한다. 이유는 해외에서 주변의 환경이 달라지면 마음의 상태도 달라질 수 있다. 그리고 자연속에서 스스로의 상태에 대해서 좀 더 객관적으로 바라볼 수 있을 것이다. 여행에서 만나는 낯선 사람과의 대화에서 마음이 회복 될 수도 있고 조용한 자연 환경이 여러분의 마음을 정화할 수 있을 것이다. 여러분의 마음이 어지럽고 정신이 피폐해졌다고 판단된다면 휴가를 사용해서 여행을 가는 것이 가장 효과적인 해결책의 하나가 될 것이라 확신한다.

Episode 35. 제임스와 윌리엄

중국의 동,서,남,북으로 비즈니스는 확대되어 갔고 조직도 점점 커지기 시작했다. KK상무는 북경 사무실을 총괄하는 주재원을 보내려고 했고 내가 그 일순위의 대상이었다. 사실 북경 사무실에 한국 주재원이 갈 필요는 없었다. 이미 북경 사무실은 체계를 잡고 있었고 한국 주재원이 가야 하는 이유는 감시의 목적일 뿐이었다. 나의 TM업무를 대신하기 위해서 한국에서는 팀장 위치였던 제임스가 오게 되었고 나는 그를 도와서 북경을 가기전에 잠시동안 업무를 진행하게 되었다. 제임스도 중국어를 전혀 하지 못한 상태에서 왔고 우리는 그날 처음으로 한국 식당에서 인사를 하게 되었다. 제임스의 첫인상은 순수하고 해맑은 성격이었고 범생이와 같은 모습과는 다르게 술을 좋아했다. 제임스와 첫 만남에서 우리는 각각 소주 3병씩을 마시고 이미 정신을 놓고 있었으며 업무로 바빴던 KK 상무는 뒤 늦게 저녁식사에 참여했다. 제임스는 정신을 잃고 KK 상무에게 말했다. "상무님이 그렇게 하시니까 직원들이 다 힘들어하는 겁니다" 옳은 말이었지만 뒷감당을 할 수 있을까 아침에 일어나서 어제 밤의 일을 생각하니 끔찍하기만 했다. 아침에 출근하여 KK상무의 모습을 보니 표정이 좋지 않아 보였다. 제임스는 비록 한 살 위 형이었지만 입사는 나보다 3년 6개월이 빠른 선배였다. 제임스는 이러한 일이 있어도 별로 대수롭게 생각하지 않았다. "상무님 어제는 제가 술이 취해서 실수를 많이 했습니다. 죄송합니다" 그는 항상 씩씩했다. 그리고 어리숙하게 봤던 그의 모습은 점점 그와 함께 근무하면서 생각을 변하게 했다. 제임스는 항상 바둑을 두는 것 같았다. 평범한 듯 보이지만 그에게서 고수의 품세가 느껴졌다. 제임스는 항상 내가 순수하다고 놀려대곤 하였다. 제임스는 항상 어떠한 일에 대해서 예측하고, 스토리를 만들어 가는 스타일임에 틀림없었다. 그는 똑똑했고 항상 겸손하고 후배들은 존중하고 예의 바른 스타일의 선배였다. 그와 3년간 중국에서 생활하면서 논쟁도 많았지만 순진한 내가 많이 발전하는 데 큰 도움을 주었다.

주재원으로 있으면서 우리는 항상 소식통(스파이) 한 두명은 HQ 본사에 심어 놓았다. 나의 HQ 소식통에 따르면, 북경 주재원으로 내가 아닌 윌리엄이 갈 가능성이 많고 나는 다른 직무의 업무를 맡게 될 것이라는 사실을 알게 되었다. 윌리엄은 내가 부산에서 근무할 때 같이 잠시 생활했던 선배였고 제임스와 윌리엄은 동기로 나보다 한 살 많은 형이었다. 윌리엄과는 한국에서 같은 영업조직에 있어서 같이 해외시상을 통해 홍콩 여행을 같이 한 경험이 있었다. 윌리엄은 나와는 조금은 다른 성격의 소유자였다. 모든 부분에서 생각과 행동, 의사결정이 느린 편이었지만 조용한 성격과 예의를 갖춘 선배였고 영업적으로는 경험이 풍부했다. 윌리엄은 내가 별로 가고 싶지 않은 북경으로 가게 되었고 가끔 북경에 출장을 가게 되면 같이 만나서 서로 많은 얘기를 나눌 수 있었다. 윌리엄은 항상 말이 많이 없었지만 다른 사람의 의견을 잘 들어주고 이해하려는 좋은 선배였다. 북경에서 홀로 주재원으로 있었기 때문에 가끔씩 우리가 북경 출장을 가면 외로움에 매우 반가워했다. 사실 내가 북경으로 가기 싫었던 이유는 북경으로 이동하는게 불편한 것도 있었지만 북경에서의 업무에 대한 명확성이 전혀 보이지 않았기 때문이다. 북경에서 영업 역할을 맡게 되면 시간이 얼마 지나지 않아 분명 다시 상해로 복귀하거나 다른 직무를 할 것이라고 판단했다. 윌리엄과 만나 상해에서 벌어지는 일들과 본사의 상황들을 얘기하면서 밤은 깊어 가고 있었다.

[episode 35 tip]

직장 생활을 하면서 직장 내부에서 만나는 사람들을 우리는 누가 진정한 삶의 동반자인지 확인 할 수 없다. 필자가 너무 많은 기대를 한 것인지 모르겠지만, 이러한 직장 생활에서 진정한 인연은 여러분이 회사를 나오게 될 때 알 수 있다. 얼마 전 돼지 우리를 탈출 해 우리 밖으로 나오게 되면서 많은 것을 실감할 수 있었다. 그렇게 친하게 지냈다고 생각한 후배들은 나의 퇴사 소식을 듣고도 톡 한번 오지 않는 후배들도 있었고, 그렇게 소중한 인연이라고 생각했던 선배도 나에게 연락한 번 주지 않았다. 그들이 나의 연락을 먼저 기다렸는지도 모르겠지만, 필자는 항상 퇴사하는 직원들에게 고생했다는 한마디를 메시지로 보냈었다. 그것이 예의이며 삶을 살아가는데 진정한 공감이 아닐까 생각한다. 퇴사를 하게 되면서 누가 진짜인지, 누가 가짜인지를 판별하게 될 것이며 회사에서 만난 인연에 대해서도 누군가는 영원한 동반자가 될 것이고 누군가는 연락처를 삭제하게 되는 인연이 될 것이다. 이것이 순리인 것이니 너무 슬퍼하지 않기로 하겠다.

Episode 36. 왓이즈 플래그십

제임스와 함께 전략업무를 담당하는 게 나는 매우 좋았다. 제임스가 팀장의 역할을 했기에 책임질 일도 줄어들었고, 그만큼 나의 스트레스도 적어져서 좋았다. 다만 내가 잘 알고 있는 업무들에 대해 제임스가 혁신하는 것 중에 몇 가지는 문제가 있어 보였다. 그와 나는 항상 톰과 제리처럼 싸우고 있었다. 제임스는 영업 출신이 아닌 SCM 출신이었기 때문에 영업에 대해서는 잘 모르는 부분이 많았다. 하지만 본인의 생각이 맞다고 판단되면 시스템적으로 접근해서 모든 것을 변화시키려 하였다. 중국의 로컬 직원들도 제임스를 좋아하기는 하였지만 제임스의 영업 진행 방식에 대해서는 못마땅해 했었다. 나는 로컬직원과 제임스 사이에서 발생하는 문제를 해결하고 윈윈하는 방향을 찾기 위해서 부단히도 노력했다.

제임스가 오늘도 저녁에 술이 마시고 싶었는지 나를 찾기 시작했다. " 따숑! 오늘 한잔해야지? 오늘은 그냥 술먹자는 거 아니야. 할 애기가 진짜 있어서 그래" 할말이 있는 것이 아니라 분명히 집에 가서도 할 일이 없으니 함께 한잔 하자는 것일 거라고 생각했다. 제임스의 가족들은 한국에 있었고 단신으로 중국에서 생활하고 있었기 때문에 일과 후에 심심함을 나와 함께 술잔을 기울면서 보내는 게 다반사였다. 제임스는 사람들하고 어울리는 것을 좋아했고, 항상 재밌는 말투로 팀원들을 가족과 같이 관리하는 모습이 좋았다. 그와 나의 공통점이 한가지 있었는데 조직에서 직원들의 동기부여가 중요하며 그들의 사기를 높이고 배려해야 회사가 성공할 수 있다는 신념에서 우리의 의견은 일치하고 있었다. 제임스는 오늘도 혼자만의 독백을 시작했다. "문제가 많아. 영업팀이 해결할 수 있는 것들인데 너무 이전 방식만을 추구하는 것은 문제 해결에 도움이 되지 않아" 물론 이 애기가 틀린 것은 아니다. 영업에 집중화 된 사람들은 원래 하던 방식을 선호하고 혁신이나 새로운 것을 해보려 하지 않는 것이다. 계속되는 이야기에 졸려갈 때쯤 제임스가 말했다.

"KK 상무와 오전에 얘기를 했는데 대표님이 상해에 대형 플래그십을 브랜딩 차원에서 오픈하자고 하신 것 같아. 지금 이 업무를 할 사람이 없는 것 같아서 너를 추천 했어" 얘기를 들어보니 상해에 명동과 같은 난징동루 거리에 위치한 대형 쇼핑몰에 플래그십을 오픈하려고 하는 것이었다. 플래그십은 300평 정도의 대형 평수로 이루어져 있고 우리 브랜드 매장 1층과 2층은 카페로 꾸미고 3층은 카페와 고객체험 공간으로 만들겠다는 야심 찬 프로젝트 였다. 문제는 중국에서 매장은 오픈했지만 카페를 오픈한 경험이 전혀 없다는 것이었다. 더 큰 문제는 매장을 오픈하고 준비해야 하는 시간이 공사 및 인테리어를 포함해서 6개월 정도 밖에 되지 않는 거의 실패할 수 밖에 없는 프로젝트로 판단되어졌다. 나는 원망스러운 표정으로 제임스에게 말했다. "형은 나를 죽이려고 이 프로젝트 담당으로 나를 KK에게 추천한 거야?!" 그가 원망스러웠다. '회사에서 나는 한 번도 쉽게 살아갈 수 없는 것일까?' 왜 항상 어려운 숙제는 내가 도맡아 해야 하는 것인지 이해할 수가 없었다. 내가 성공해도 이 모든 영광은 다른 사람의 영예로 돌아갈 것이란 걸 잘 알고 있었기 때문에 이 프로젝트가 썩 내키지 않았다.

[episode 36 tip]

여러분이 직장 생활 중에 1-2번은 프로젝트 업무를 담당하게 될 것이다. TFT팀으로 가서 프로젝트의 일부분을 담당하거나 또는 프로젝트 매니저로 총괄 프로젝트를 관리하게 될 것이다. 프로젝트 업무는 나중에 여러분이 개인 비즈니스를 할 때 큰 자산이 되는 경험이다. 프로젝트는 시간과의 싸움이고 스케쥴표에 따라서 단계적으로 진행하게 되기 때문에 업무를 체계적으로 배울 수 있고 예상치 못한 사건이 항상 발생하기 때문에 리스크 매니지먼트에 대해 직접적으로 경험할 수 있다.

Episode 37. Jason from 별다방

회사가 시킨 업무를 하지 않을 수 없었다. 상해에서 한국의 명동과 같은 거리에 입점하게 될 플래그십 프로젝트가 공식적으로 선포되었고 그 업무의 로컬 총괄 담당은 내가 하기로 결정되었다. 회사가 한국에서 카페 비즈니스의 경험은 있었지만 식품허가와 위생허가가 까다로운 중국에서 카페를 결합한 매장을 만드는 것은 쉽지 않았다. 우리 팀의 구성은 나와 나잉 그리고 새로 채용해야 하는 카페 담당자 단 3명이었고 우리에게 주어진 시간은 6개월이었다. 주어진 6개월 내에 쇼핑몰에서 자체 진행하는 공사와 그 후 우리의 설계에 따른 시공과 마지막으로 인테리어 공사를 해야 했다. 이와 함께 카페는 따로 식품허가와 위생허가를 진행하고 이에 맞는 설비와 카페음료, 케익 등을 준비해야 했다. 다행히 마케팅 부분은 한국에서 협조해서 진행하기로 했고 프리랜서 '원'은 한국의 마케팅 총괄 책임자로 고객경험과 카페메뉴 작업을 주도하였다.

우선 카페에 대해서 아는 직원이 필요했다. 스타벅스 출신 위주의 3명의 직원을 면접했다. 그 중 제이슨은 농구선수처럼 큰 키에 몸은 바짝 말라 있었다. 난 순수하고 열정이 있는 사람이 좋다. 아무리 경험이 많아도 팀에 들어와 조화가 되지 않는 플레이어는 바로 퇴출한다. 그게 나의 신념이었다. 제이슨은 평범하지만 열정이 있었고 내가 결정해서 채용했던 직원들 중 지금까지 실수는 없었다. 제이슨은 2019년 호주에 있다가 중국에 출장 차 방문해서 나잉과 함께 만났을 때 회사 생활이 많이 힘들었는지 나를 보고 눈물을 흘리기도 했다.

제이슨이 우리 팀에 들어오면서 카페 도면과 설비등을 준비해 나갈 수 있었다. 도면을 직접 그리고 어떤 설비들이 들어가고 그 설비위에 뜨거운 장비와 차가운 장비를 구분해야 했다. 내가 카페 전문가는 아니었지만 제이슨의 설명에 따라 무엇을 어떻게 진행할지 의사결정 할 수 있었다. 아침에 출근해서 밤 12시가 될 때까지 우리는 함께 몰입했고 시간이 어떻게 흘러가는지 모르게 재미있었다. 우리는 힘들었지만 즐거운 시간을 보내고 있었다. 17년간의 회사생활에서 가장 즐겁고 행복하게 일했던 때로 기억된다. 앞으로 일어날 많은 어려움이 있어도 지금은 일하는 게 너무 행복하게 느껴지고 있었다

[episode 37 tip]

사람의 성향은 제 각기 다르기 때문에 직장 생활에서 위험을

감수하고 모험을 즐기는 성향이 있고, 안정적인 일을 추구하는 성향이 있을 것이다. 무엇이 맞다고 단정지어 애기 할 수 없지만, 직장 생활 중에 몇 번 정도는 위험을 감수하고 도전해야 하는 업무를 해 보기를 권한다. 여러분이 돼지 우리 밖으로 나오게 되면 이러한 위험을 감수하고 해야 할 일들이 너무나 많을 것이기 때문에 미리 돼지 우리 안에서 여러분의 맷집을 키워 나가길 바란다.

Episode 38. 시간이 너무 빨리 흘러가고 있어

상해 난징동루 프로젝트는 2개월이 흘러 남은 4개월 동안에 모든 것을 준비해서 성공적인 오픈을 해야 했다. 시간은 너무 빠르게 흘러가고 있었고 계속해서 사건은 터지고 있었다. 그 중에서도 가장 문제가 되었던 것은 쇼핑몰에서 하는 자체 공사가 지연되고 있었다. 현지 업체의 대표인 왕사장과 한국 인테리어 업체 대표는 매주마다 공사 진도현황을 체크했다. 왕사장은 다른 매장 오픈을 같이 많이 진행했기에 믿을 만한 사람이었다. 왕사장이 애기했다. "따송! 공사 시간이 너무 부족해! 이 기간으로 오픈한다는 것은 불가능해" 왕사장은 허튼 소리를 하는 사람이 아니었다.

나는 쇼핑몰과 협의를 진행했고 주간에도 공사를 진행하도록 했다. 주간에는 소음이 심하면 안 되었기에 소음이 심한 작업은 야간에 했고 주간에는 소음 발생이 적은 공사 위주로 진행하였다. 왕사장에게 내가 애기했다. " 왕사장! 공사인원을 더 투입해서라도 반드시 우리는 지정된 오픈일에 오픈해야 합니다" 왕사장의 표정이 좋지 않았다. 마치 나를 미친 사람처럼 바라보고 있었다. 다른 문제가 또 있었다. 우리는 대형 파사드를 설치해야 했는데 이 공간은 150평이 넘는 사이즈에 조화가 아닌 실제 살아있는 식물을 설치해야 했다. 이러한 대형 파사드는 업체에서도 설치해 본 경험이 없었기에 고난이도의 기술이 필요하고 시간도 상당히 소요되었다. 나는 왕사장에게 제안했다. 공정의 속도를 내기 위해서는 외부공사와 내부공사 인부를 동시에 투입하여 진행을 하도록 하였다. 외부 파사드의 공사는 시청의 승인을 받아야 했는데 이 승인을 받는데도 시간이 오래

걸렸다. 파사드 공사는 시청 공무원이 매번 방문하여 조사하였고 공사가 중단되고 다시 시작하기를 여러 번 반복하였다. 공사가 중단되었을 때 리치의 "꽌시"의 힘을 빌려야 했다. 이러한 일들이 계속해서 반복되고 쇼핑몰 자체 공사가 지연되면서 우리는 원래 예상했던 공정 30%에도 못 미치는 10%의 진도를 보이고 있었다. KK 상무는 이 프로젝트가 정상적인 스케줄에 오픈이 힘들다고 판단해서 였는지, 프로젝트에 크게 관여하지 않았다. 프로젝트를 하면서 모든 결정을 스스로 할 수 있어서 프로젝트 진행을 빠르게 실행할 수 있었다. 난징동루를 방문하고 돌아오면서 나는 반드시 이 프로젝트를 성공시키겠다고 마음 속으로 여러 번 다짐하고 다짐했다.

[episode 38 tip]
직장 생활에서 어려움이 닥쳐도 항상 죽으란 법은 없다. 필자는 프로젝트를 진행하면서 어려움이 생기면 팀원들의 의견을 종합하고 해결책을 제시할 수 있었다. 누군가가 얘기한 작은 시도에서 우리는 해결책을 찾을 수도 있다. 해결책은 반드시 존재하기 때문에 여러분이 실패를 두려워하지 않고 도전한다면 반드시 해결책은 존재한다는 것을 명심했으면 한다.

Episode 39. 차가운 그녀
한국에서 프리랜서로 이 프로젝트에 합류한 원은 타 브랜드에서 근무 후 퇴사하여 프리랜서로 활동하고 있었다. 소문의 그녀는 매우 차갑고 이성적이라고 했으나 그녀를 처음 만나 얘기해보니, 평범한 인물이 아니라는 생각을 하게 되었다. 대표가 직접 그녀를 이 프로젝트에 참여해 달라고 부탁했으니 그가 그녀를 매우 신뢰했다는 것을 알 수 있었다. 깔끔하고 활발한 성격의 소유자였고, 업무에 대해서는 매우 비평적이고 칼 같은 면이 보였다. 한마디로 얘기해서 업무를 깔끔하게 하고 이슈에 대해서는 정확하게 비평하고 개선하는 스타일의 마케팅 전문가였다. 그녀와 함께 업무를 진행하면서 나도 많은 것을 배웠는데 특히 그녀는 새로운 아이디어를 잘 만들어 내고 상품화하는 능력이 돋보였다. 그녀는 카페 원료에도 신경을 많이 기울였는데 필요한 대부분의 원료를 한국산으로 진행해야 해서 제이슨이 업체를 찾고 선정하는데 힘들어했다. 이 당시 커피 머신과 아이스크림 기계도 매우 고가의 브랜드를 구매했는데 카페 전문가인 제이슨도 이 부분에 대해서는 의아해 하였다. 브랜딩을 위해 오픈하는 플래그십 카페의 수익을 바라지는 않았지만 과다한 원료 투입으로 손익이 좋지 않으면 영업팀에게는 큰 문제가 될 수도 있었다. 걱정되는 부분을 숨길 수는 없었지만 고객에게 브랜딩을 해야 하는 플래그십은 많은 비용을 과감없이 투입하고 있었다. 나는 그녀에게 개인적으로 한가지 제안을 했다. "원님은 프로젝트가 끝나면 중국에 동종업계에 가시면 좋을 것 같아요" 그녀가 호기심 어린 눈으로 나를 바라보았다. 중국에서 많은 동종업계의 브랜드들이 새롭게 설립되고 있었고 내가 보기에 그녀는 충분한 경쟁력을 가지고 있어 보였다. 그 당시에 많은 중국 브랜드들이 한국 브랜드를 모방하고 있었고 그녀의 마케팅 재능은 중국 시장에서 고가의 매력으로 느껴질 것이라고 확신했다. 이유에 대해서 그녀에게 자세히 설명했고 그녀는 나의 애기 하나 하나를 신중히 듣고 있었다.

[episode 39 tip]
직장생활에서 다른 직원들의 장점을 벤치마킹하는 것이 필요하다. 보통 사람들은 모방에 대해서 안 좋게 생각하는데, 필자는 벤치마킹과 모방은 본인의 발전을 위해 매우 중요한 요소라고 애기하고 싶다. 모방과 벤치마킹은 쉬운 일이 아니다. 뛰어난 재주를 가진 사람을 모방하기란 쉽지 않을 것이다. 벤치마킹을 통해 재주를 모방하고 자신만의 색깔을 입힌다면 개성 있는 모습으로 한단계 더 성장 할 수 있을 것이다.

## Episode 40. 상해 플래그십 1

우리가 오픈 예정일로 정했던 시간은 점점 다가오고 있었다. 오픈일에 맞게 진행해야 하는 이유는 우선 막대한 규모의 월 임대료가 지정된 날짜에 시작될 것이고 또 다른 이유는 오픈일에 맞추어 우리 브랜드의 광고를 맞고 있는 M이 상해로 와서 오픈 세레모니에 참가해야 했다. 중국에서 엄청난 유명세를 타고 있는 M은 바쁜 일정에 정확한 날짜를 우리와 협의했기 때문에 오픈일이 연기되면 M의 참석없이 오픈 행사를 진행할 수 밖에 없는 상황이 발생하는 것이다. 또한 오픈일이 연기되면 시간과 비용 모든 측면에서 회사가 많은 손해를 볼 수 밖에 없었기 때문에 오픈일까지 반드시 완벽하게 모든 준비가 끝나야 했다.

오픈일을 이제 두 달이 남지 않았다. 우리는 안전하면서도 빠르게 시공 속도를 높여야 했다. 한국의 가구업체는 가구제작을 빠르게 진행하고 있었고 카페는 위생허가와 식품허가를 받기 위한 모든 서류 작업과 인스펙션을 준비하고 있었다. 카페의 케익들은 우리가 직접 만들 수가 없었기에 로컬 외주 업체를 물색하고 있었다. 매장이 하나뿐이기 때문에 업체들은 이익이 크게 나지 않는 케익의 수량 때문에 계약을 꺼려하였다. 이와는 반대로 본사의 케익을 구상하고 만드는 담당들은 너무 까다로운 조건의 퀄리티를 제시하고 있었다.

제이슨이 급하게 달려와 소리치며 나잉에게 통역을 하라고 손짓했다. 애기의 핵심은 우리와 같이 케익을 개발하고 생산하기로 한 업체에서 최종 계약을 하지 않겠다는 것이었다. 우려하던 일이 발생한 것이다. 본사 담당들과 원의 너무 무리한 퀄리티와 요구에 업체는 우리와 더 이상 업무를 진행하지 않겠다는 것이었다. 나는 본사 담당들에게 이 사실을 알렸고 우리는 케익도 없이 카페 오픈을 해야 하는 상황이 올 수도 있었다. 문제는 시간이 너무 부족했다. 나는 제이슨에게 애기했다. "제이슨, 처음 우리가 선택하지 않았던 케익 업체에 빨리 연락해!" 우리는 처음 3개 업체를 본사에 제안했고 최종 선택되었던 업체가 계약을 파기하겠다는 것이었다. 지금은 찬밥과 더운밥을 가릴 때가 아니었다. 나는 본사에 바로 출장을 요청했고 우리는 2순위였던 업체와 다시 미팅을 어레인지 하였다. 다행히 이 회사는 우리와 협력을 원했지만 문제는 다시 모든 레시피를 설명하고 테스트해야 한다는 것이었다. 본사에서 온 담당들에게 애기했다. "여기 업체가 마지막 기회에요! 중국 업체가 한국처럼 퀄리티가 나올 수가 없어요 너무 무리한 요구는 하지 말아주세요" 물론 이후에도 우여곡절이 없던 것은 아니었지만 업체는 우리와 최종 계약을 진행했고 레시피에 따라 시제품을 테스트하며 시간은 흘러 가고 있었다.

[episode 40 tip]
여러분의 회사가 갑의 위치가 될 수도 있고 을의 위치가 될 경우가 있을 것이다. 제조회사의 경우 마트와 백화점과 거래하게 되면 그들이 갑의 위치가 될 것이며 원재료나 부품을 조달받는 회사는 우리에게 을의 위치가 될 것이다. 이 시대에 갑을을 논하고 싶지는 않지만 현실에서는 항상 이러한 힘이 존재한다. 항상 겸손하고 존중하는 마음으로 업체들과 협력해야 한다. 우리가 돼지 우리 밖으로 나왔을 때, 그들이 당신의 조력자가 될 수도 있기 때문이다.

Episode 41. 상해 플래그십 2
시간이 흘러 오픈은 한 달 앞으로 다가오고 있었다. 영업팀에서는 매장에 필요한 인력을 채용하고 있었고 카페 팀에서도 음료와 서비스를 담당할 직원들을 채용하고 있었다. 제이슨의 인맥을 통해서 점장과 부점장은 스타벅스 출신의 경력 있는 직원들을 채용했고 나머지는 일반 카페 경험이 있는 직원들로 구성하였다. 매장 내부 공사의 진행 상태를 확인하고 돌아오면서 나는 살짝 웃음을 보였다. '이 정도 진행 상황이면 예정된 오픈일에 무사히 오픈 할 수 있을 거야' 중국 내 많은 매장들을 오픈하면서 나만 알 수 있는 직관적인 느낌이 있었다. 매장 내부는 문제가 없었지만, 외부의 파사드 공사는 아직도 아슬아슬하기만 했다. 상당한 크기의 수직 정원이었기 때문에 만약에 식물들이 떨어지기라도 한다면 인명사고로 이어질 수 있는 이슈가 있었기에 공정의 속도는 더 느릴 수 밖에 없었다. 태풍이 온다고 한 밤에는 비바람에 외부 수직정원의 문제가 발생하지 않을까하는 염려로 밤늦게 매장으로 향한 일도 여러 번 있었다.
또 다른 문제는 카페 위생허가를 통과하는 일이었다. 제이슨의 경험에 의하면 위생허가 담당에 따라 허가가 쉽게 나올 수도 있고 까다로워 질 수도 있다는 것이다. 만약에 위생허가에 이슈를 제기하거나 허가가 승인되지 않으면 카페를 정상적으로

운영할 수 없었다. 우리는 위생허가 인스펙션을 준비하고 있었다. 위생허가를 담당하는 정부에서 관계자가 직접 매장으로 방문했고 우리 매장의 몇 가지 부분을 수정해야 해서 1차 인스펙션에서 위생허가 승인을 받을 수가 없었다. 우리는 카페의 일부 설비들을 다시 교체하는 작업을 진행하고 다시 위생허가를 신청하였다. 사실 이러한 상황을 이미 예상하고 있었기 때문에 이에 대비해서 미리 위생허가를 신청하였다. 아직은 시간적인 여유가 있었다. 리치를 만나서 위생국에 사람들을 제이슨에게 소개해 달라고 했고 제이슨은 그들을 만나서 허가에 대한 긍정적인 답변을 들었다. 두번째 인스펙션이 진행되었고 우리는 무사히 식품허가와 위생허가를 승인 받을 수 있었다. 설비가 완전히 갖추어진 상태에서 우리는 직접 매장에서 음료를 만들어 보기 시작했다. 아직 공사로 인해 먼지가 가득했지만 카페 직원들이 실전 경험이 필요했기에 매장에서 메뉴에 있는 음료와 아이스크림을 만들어 보았다. 음료와 아이스크림을 만들면서 각종 설비도 체크할 수가 있었다. 케익을 만드는 업체는 본사에서 원하는 100%의 퀄리티를 제공하지 못했지만, 매우 다양한 캐릭터의 케익들은 중국 소비자들에게 우리 브랜드를 재미있게 알릴 수 있는 기회가 되었다. 고객에게 경험을 제공하기 위해서 우리는 3D체험장비를 준비했고 고객이 직접 만들 수 있는 DIY도 2층 카페 옆에 설치하기 시작하였다. 이 플래그십은 오픈 후 동종 업계 중 아시아에서는 가장 큰 규모의 매장으로 평가받게 된다.

[episode 41 tip]

여러분이 업무를 진행할 때 앞으로 일어날 이슈에 대해서 사전에 미리 점검해야 한다. 필자는 낙천적인 성격이 아니라 항상 최악의 상황에 대비했다. 최악의 상황이 오면, 그 다음에 해야 할 차선책에 대해서 미리 준비하였다. 물론 어떤 프로젝트 또는 업무에서 모든 상황에서 이러한 준비를 철저히 하기는 힘들지만, 여러분이 맡고 있는 업무가 회사에서 매우 중요하고 힘든 프로젝트라면 일어날 수 있는 모든 상황에 대해서 시나리오를 예상하고 발생할 이슈를 최소화하기 위한 대비책이 필요할 것이다.

Episode 42. 상해 플래그십 3

오픈일이 1주일로 다가오고 있었다. 공사는 마무리가 되었고 가구와 소품 등의 설치가 필요했다. 매장의 직원들은 마지막까지 제품 교육을 받고 있었으며 카페의 직원들도 음료를 만들고 고객에게 최상의 서비스를 제공하기 위해서 노력하고 있었다. 가장 걱정이었던 수직정원은 거대한 모습을 보이기 시작했으며 오픈 3일전까지 포스와 인터넷, 제품 진열을 위해 모든 직원들을 소집했다. 1층과 2층, 3층에도 식물 소품들을 설치하고 있었고 매장 내부에도 실제 식물로 설치된 대형 파사드를 설치하였다. 3층의 3D VR을 테스트하고 대형 스크린에서 나오는 LED도 제대로 작동하는지 모든 사항을 점검하고 있었다. 오픈 일 많은 유동객으로 인한 사고 발생이 일어나지 않도록 안전요원들도 미리 준비하였다. 매장 외부에서 내부로 들어올 때 줄을 서는 방향과 위치까지 꼼꼼히 체크하였다. 직원들은 오픈 일 1,2,3층에서 서로 연락하기 위해 무선마이크와 헤드폰을 준비하였다. 쇼핑몰 외부에 사람들이 줄을 서 기다려야 브랜드 광고 효과를 낼 수 있었지만 아쉽게도 정부는 안전을 문제삼아 외부에서 줄을 설 수 없도록 하였다. 우리는 쇼핑몰 내부를 이용해서 고객이 줄을 설 수 있도록 미리 리허설도 진행하였다. 쇼핑몰 내부에는 임시로 스테이지를 만들고 연예인 M이 와서 고객들과 소통하는 시간도 준비하였다. 드디어 오픈 일이 다가왔고 본사에서 대표를 비롯해서 마케팅 임원 및 팀장이 상해에 방문하였다. 대표가 나에게 다가와 얘기했다. “따송 고생했어! 이렇게 짧은 시간에 할 수 있을지 의문이었는데 해냈구나” 대표의 칭찬에 울컥한 표정을 숨기며 프로젝트를 할 수 있는 기회를 주신 것에 대해서 감사의 마음을 전했다. 오픈 당일 모든 본사 직원들도 외부로 보내고 우리 직원들과 둥글게 모였다. “지금까지 고생했습니다. 오늘 최고의 매출과 서비스를 보여줍시다. 짜요(파이팅)!” 나는 직원들을 독려했고 우리는 오픈식이 끝나는 것을 기점으로 매장 오픈을 시작하였다.

큰 함성이 들리는 소리를 보니 M이 온 것이었다. M은 전체 매장을 둘러보고 인터뷰를 했으며 많은 고객들이 외부에서 줄을 서 매장에 들어오기를 기다렸다. 1,2,3층 내부에서도 우리는 안전을 위해서 미리 준비된 동선으로 고객을 안내했고 모든 것이 순조롭게 시작이 되었다. 나는 쇼핑몰 내부에 줄 서 있는 고객들의 안전을 위해서 경호원들에게 시간을 두고 나가는 고객 수만큼 고객들이 안으로 들어올 수 있도록 하였다. 매장 내부에서 갑자기 인원이 많아지면 더 이상 고객이 매장 내부로 들어오지 않도록 조절하였다. 매장에는 정말 발 딛을 틈이 없을 만큼 많은 고객들로 붐비고 있었다. 매장의 총 평수가 250평이 넘는 대형 매장이었지만 매장 내부로 끊임없이 고객들이 들어왔기에 매장에서 제품을 구매하기 힘들 정도였다. 이 날 우리는 글로벌 최고의 일매출을 달성했고 모든 본사 임원진들이 플래그십의 화려한 성공을 축하하였다. 나는 스스로에게 말했다. "따숑! 고생했어! 너와의 싸움에서 이긴 거야" 나는 스스로에게 축하를 전하고 매장 마감 후 직원들을 모두 모아 식사를 하며 그들에게 감사를 표했다. 30명의 직원들이 있는 이 대형 플래그십을 앞으로 관리하는 것도 쉬운 일이 아니었다. 잠시 걱정을 뒤로 하고 우리의 성공적인 오픈을 자축하고 있었다.

[episode 42 tip]

회사 생활에서 성공이 중요할 수도 있겠지만, 가장 중요한 것은 본인이 업무에 만족하고 가치 있는 활동을 하고 있다는 것을 느끼는 것이 중요할 것이다. 저자가 돼지 우리 밖을 나오게 된 가장 큰 이유는 회사에서 중요한 역할을 하지 못하고 있다는 것이었다. 또한 인생에서 가장 중요하게 생각하는 발전적인 모습을 지금의 회사 상황에서는 할 수 없다는 판단을 스스로 내린 것이다. 여러분이 리더에 위치에 있다면 직원들이 본인의 업무에 가치를 두고 있는지 항상 확인해야 하며, 가치 있는 업무를 할 수 있도록 적성에 맞는 직무에 배치하는 것이 매우 중요하다. 본인이 가치 있는 업무를 할 수 없을 때 직원들의 이직이 가장 많이 발생하기 때문에 여러분의 직원들이 가치 있는 업무와 회사 생활에 만족 할 수 있도록 지도하고 배려하기 바란다.

## Episode 43. 청두 새로운 금자탑

상해 플래그십은 난징동루를 방문하는 중국인들에게 명소가 되었고, 우리의 카페는 꼭 한번 방문해야 하는 핫플레이스가 되어 있었다. 상해의 젊은 고객들이 많이 방문하였고 웨이신을 통해 사진과 스토리를 남기게 되면서 많은 현지인들이 방문하였다. 그 만큼 우리 브랜드는 중국에서 유명세를 타기 시작하였다. 본사에서는 다른 브랜드의 임원들이 직접 방문하였고, 나는 그들을 수행하는 일이 무척이나 힘들었다. 그리고 방문자들 중 가장 힘들었던 기억은 장관의 방문이었다. 많은 수행 공무원들이 같이 왔었고 긴장의 끈을 놓을 수가 없었다. 혹시라도 내가 실수를 하게 되면 그것은 나의 잘못을 넘어 브랜드와 회사 전체에 좋지 않은 영향을 미칠 수 있기 때문이었다. 다행히 그러한 일은 발생하지 않았고 많은 분들이 계속해서 플래그십을 방문하고 있었다.

6개월이 지난 후 플래그십의 관리는 안정화 되었고 직원들은 능숙하게 고객에게 서비스하고 있었다. 본사의 대표는 첫 플래그십의 성공으로 매우 만족하고 있었고 북경, 선전, 광저우, 청두 등의 대도시에 또 다른 컨셉의 플래그십을 오픈하고 싶어했다. 우리는 매주 점포개발 회의를 진행 했었고 리치는 다양한 도시에 다양한 쇼핑몰 중 플래그십을 할 만한 위치를 계속해서 찾아보고 있었다. 북경과 선전의 후보점이 있었지만 플래그십을 하기에는 좁은 위치와 쇼핑몰의 트래픽이 기대에 미치지 못하였다.

리치가 어느 날 나에게 와서 청두의 쇼핑몰을 소개하고 출장을 다녀오기를 권했다. 다음날 바로 청두로 향했고 청두의 쇼핑몰은 고전적이면서 현대적인 느낌의 대형 규모의 로드샵 형태의 쇼핑몰이었다. 나는 직감적으로 이 곳은 브랜딩 할 수 있는 쇼핑몰이라는 것을 느꼈다. 주변의 고객들도 대부분 20대였으며 트래픽도 매우 좋은 편이었다. 후보점 앞에서 오후 저녁까지 트래픽을 살펴보았고 동영상을 상세하게 촬영하였다. 매장은 1층과 2층으로 정사각형이었고 매장 내부에 기둥이 있었지만 크게 문제될 것처럼 보이지 않았다. 외부의 고전적 중국 쇼핑몰의 느낌은 살리고 수직정원 파사드와 내부를 잘 꾸미면 상해에 플래그십과는 또다른 느낌의 작품이 나올 수 있을 것 같았다. 상해로 복귀하여 자세한 비디오와 후보점 정보를 본사에 송부했다.

본사의 의견은 KK 상무와 P가 의사 결정해서 진행하라는 것이었다. P와 KK는 청두 플래그십을 계약하기로 결정했다. 청두는 상해에서 비행기로 3시간이 넘는 거리이고 청두에서 많은 시간을 보내야 할 생각에 다시 걱정이 먼저 앞섰다. 그리고 모든 카페의 공급업체를 청두지역에서 다시 찾아야 했으며 상해 플래그십과 다른 모습을 보여줘야 하는 부담감이 몰려 들었다. 이후로 매장이 오픈할 때까지 수십번의 출장을 가게 되었고 우리는 상해 플래그십과는 다른 모습의 현대적 플래그십을 중국에서 두번째로 오픈하게 된다.

청두 플래그십은 계단이 가파르고 매장 전체를 통유리로 설계해서 안전에 대한 우려가 있었다. 안전에 대한 우려에도 불구하고 여러가지 중국 문구를 쓸 수 없었는데, 브랜드의 이미지를 유지하기 위한 본사의 압박 때문이었다. 나는 안전을 고려해서 이에 반대했지만 본사의 의견을 무시할 수 없었다. 오픈 후 1달이 지나고 매장에서 급하게 연락이 왔다. 하이힐을 신은 고객이 계단에서 굴러 떨어진 것이었다. 다행히 크게 다치지는 않았지만 나는 모든 계단에 경고 문구를 바로 부착하였다. 그 이후로도 사고는 또 일어났다. 이번에는 투명 유리를 입구로 착각하고 들어오다가 머리를 부딪힌 사고였다. 이마가 찢어진 고객은 병원에 갔고 플래그십 점장은 회사를 대신해 고객을 만나서 깊은 사과를 하였다. 이 사건을 계기로 상해 플래그십을 포함해서 위험의 요소가 있는 매장에는 중국어로 눈에 띄는 경고 문구를 붙이겠다고 강력히 요구했고 본사도 이를 수용하게 되었다.

[episode 43 tip]

직장 생활을 하면서 아이러니 한 것은 분명 이슈가 발생할 것이고 문제가 될 여지가 있는 부분에 대해 침묵하는 경우가 있다. 그러한 사안이 만약 직속 상사인 경우 더욱 곤란한 상태일 것이다. 사실을 애기하면 상사가 문제가 될 것이고 그냥 지커보게 되면 회사가 막대한 손해를 입을 수도 있다. 또한 회사에 문제제기를 했을 때 나의 제안이 무시 당할 수도 있고 이슈제기를 통해 내가 더 손해를 입을 것이라 생각하기에 우리는 쉽게 행동하지 않는다. 하지만 이러한 문제를 간과하게 되면 나중에 더 큰 문제로 이어지게 되고 회사는 상당한 피해를 입을 수 밖에 없을 것이다. 쉽게 해결할 수 있는 것들이 더 큰 이슈를 가져올 수 있으니, 여러분이 진정성 있고 바른 행동을 하는 직장인이라면 잘못된 것들을 고쳐 나갈 수 있는 용기를 가졌으면 좋겠다.

## Episode 44. Grand Prize

상해와 청두의 플래그십 성공과 중국법인의 매출 성장 신화를 통해 우리 회사에서 중국법인은 모두의 관심사와 부러움의 대상이 되고 있었다. 회사 생활을 한 번이라도 했다면 '매출이 인격이다'란 말을 들어봤을 것이다. 회사 생활을 하면서 농담삼아 하는 얘기로 '매출이 좋으면 모든 것이 용서가 된다'는 말도 자주한다. 그만큼 회사생활에서 매출과 목표는 매우 중요하다.

중국법인에서 우리 브랜드의 매출은 모든 브랜드 매출 비중에서 80%이상이었고 중국법인의 브랜드 매출이 다음해에는 국내 매출을 뛰어넘는 수준까지 확대되어 있었다. 중국법인에 소속된 로컬 팀장들과 주재원들은 연말 송년회를 위해 서울 본사로 가게 되었다. 매출에 걸맞게 송년회는 5성급 호텔에서 진행하게 되었다. 국내 직원들과 해외에 파견된 주재원들이 함께 모이는 연말 축제였다.

송년회에는 장기자랑 대회가 있었는데 우리는 중국의 군복과 각종 의상을 치장하고 중국 노래에 맞추어 춤을 추기 시작했다. 각 부문별 장기자랑이 계속해서 진행되고 있었고 와인을 마시고 스테이크를 먹으면서 분위기는 최고조로 올라갔다. 부산영업팀에 있던 필과 제프도 참석했고 우리는 서로를 반갑게 맞이했다. 제프가 반갑게 웃으면서 나에게 말을 걸었다. "선배님 올해는 완전 선배님의 해입니다. 올해 대상은 무조건 행님껍니다" 제프의 말이 싫지 않게 들렸다. 연예대상과 마찬가지로 우리 회사에도 연말 각부문별 시상과 함께 최고의 직원에게는 대상이 수여되었다. 대상은 금 10돈으로 만든 금메달이 수여되었다. 제프의 말에 나도 모르게 기대가 되었지만, 워낙 우수한 인재들이 본사에도 많이 있었기 때문에 주재원이 대상을 받을 수는 없을 것이라 판단했다. 모든 장기자랑이 끝나고 대표의 올해 리뷰와 내년도 포부가 발표되었다. 회사 내부에서는 우리 브랜드를 5개의 핵심 브랜드에 포함하고 글로벌 확장에서는 우리 브랜드가 가장 최전선에서 진격하는 돌격부대 역할을 하게 된 것이다. 글로벌 시장을 매우 빠르게 침투하고 있었고 중국을 포함해서 일본, 홍콩, 말레이시아, 싱가폴 등 이미 12개국에 진출을 하고 있었다. 중국은 모든 해외 매출에서 80%이상의 비중을 차지하고 있었기 때문에 중국시장은 글로벌 시장에서 가장 핵심이 되는 국가였다. 그리고 앞으로 미국과 캐나다, 호주 등의 서구 시장확장도 선포하였다. 앞으로 더 많은 국내 직원들에게 주재원으로 갈 수 있는 기회를 줄 것이며, 중국에 있는 주재원들이 글로벌 사관학교의 역할을 하여 신규국가에는 경험 있는 주재원을 보내 총괄 매니저로 임명하겠다는 것이었다.

대표의 마지막 연설이 끝나고 각 부문별 우수사원의 시상이 이어졌다. 글로벌 국가 우수사원 시상이 되었고 사실 글로벌 부문 우수사원에서는 기대를 하였으나 나의 이름이 호명되지 않았다. 모든 부문별 시상이 끝나고 마지막으로 올해의 대상 수상이 호명 되었다. 국내에 있을 때 영업부문 우수사원 시상은 받았지만 최근에 생긴 대상은 정말 받기 힘든 상이었다. 이름이 호명되자 나는 가슴이 벅차 올랐다. 플래그십 오픈의 성공과 중국법인의 매출 신화가 있어서 내가 그 대상자가 운 좋게 되었던 것이다. 무대에 올라서 무슨 수상 소감을 말했는지 기억이 나지 않았다. 같이 프로젝트를 성공으로 이끈 나잉과 제이슨에게 감사했고, 플래그십을 잘 관리한 우리 매장 직원들의 얼굴이 떠올랐다. 행복한 밤이 지나고 있었다.

[episode 44 tip]

직장 생활을 할 때 부하직원들과 함께 했던 성과를 본인의 공으로 돌리는 리더들을 종종 볼 수 있다. 좋게 얘기하면 결과를 잘 포장하는 사람이나 나쁘게 얘기하면 타인을 배려하지 못하는 것이다. 물론 어떤 업무의 성공은 그 업무에 가장 큰 책임을 가지고 있는 팀장이나 리더의 공이라고 회사는 판단할 수 밖에 없다. 만약 여러분이 팀장이나 리더직급으로 프로젝트를 성공으로 이끌었다면 당신과 그 업무를 같이 한 직원들도 합당한 포상과 인센티브 그리고 승진의 기회를 주도록 노력해야 할 것이다. 저자는 회사 생활에서 많은 팀장과 임원들이 승진할 수 있도록 맡은 임무를 성실히 수행하였다. 하지만 본인은 그들의 결과만큼 좋은 인센티브와 승진의 기회를 갖지 못했다. 운이 좋지 않다고 하기에는 열심히 한 노력에 비해서 합당한 보상을 받지 못했다. 여러분을 돕고 있는 후배가 있다면 반드시 그 노력에 대한 보상의 기회를 주도록 해야 한다.

Episode 45. 로버트와 나

함께 상해로 와서 주재원 생활은 한 로버트는 나보다 나이는 어리고 입사는 약 6개월늦은 후배였다. 로버트는 전략을 담당했고 이성적이고 논리적인 성향이라 직관적이고 감각적인 저자의 업무 성향과는 다른 스타일이었다. 많은 직원들이 우리 둘의 관계를 라이벌이라고 생각했는데, 입사 개월 수도 비슷했고 해외에서 근무한 기간과 경험들도 비슷했기 때문에 그렇게 생각 할 수도 있을 것이다. 가족이 부임하기 전에 나는 약 6개월간 로버트의 집에서 월세를 주고 생활한 경험이 있다. 서로의 성향은 많이 다르지만 로버트는 항상 나의 의견과 결정을 존중해 주어서 고마운 마음이 있다. 같이 생활할 때 로버트는 항상 건강식을 먹었고 나는 라면 위주의 인스턴트 음식을 즐겼다. 로버트는 고가의 시계나 옷 등을 구입하고 스트레스를 풀었고 나는 돈을 모아 저축하는 즐거움으로 스트레스를 풀었다. 로버트는 저축보다는 지금 현재의 인생을 즐기고자 하는 마인드였고 나는 미래의 행복을 위해 지금의 고통을 참는 스타일이었다. 지금 생각해보면 로버트의 인생관이 옳고 나의 인생관이 틀리다는 생각이 든다. 어느 날 로버트가 나에게 다가와 물었다. "형 재건축이 되는 곳에 투자 고민중인데 20평대와 30평대 아파트가 있는데 어디에 투자 할까?" 나름 부동산에 대해서 공부를 많이 한다고 소문이 나서인지 부동산 재테크 관련해서 종종 직원들이 문의하였다. 초기 투자금의 차이는 있을 것이지만 30평대가 부동산 상승 시 더 큰 차익을 얻을 수 있다. 또한 만약 자녀가 2명이라면 20평대는 생활하기 불편할 것이다. 지금의 투자금이 부담되더라도 30평대 아파트가 투자의 매력도가 있기 때문에 30평을 구매하라고 조언해 주었다. 결국 로버트는 초기 투자금과 대출에 대한 부담 때문에 20평대를 구매하게 된다. 그는 지금도 나를 만나면 그 때 형의 조언을 듣고 30평대를 구매 못 한 것이 후회로 남는다고 한다.

이상하게도 중국법인에 근무하는 주재원들 자녀는 딸이 많았는데, KK의 두 자녀도 딸이었고 로버트와 나도 두명의 딸을 가진 아빠여서, 코리아타운에서 술을 마실 일이 있으면 두 딸 바보 아빠들은 딸에 대해서 서로 얘기하는 시간을 많이 가졌었다.

중국법인에서 주재원들 중 마케팅을 제외하고 영업과 전략적 경험이 있어서 다른 국가에 주재원으로 파견될 수 있는 사람은 많지 않았다. 로버트와 내가 있었고 북경에 윌리엄과 TM에 제임스 정도가 후보가 될 수 있었다. 당시 본사의 글로벌 주재원 파견 전략은 중국법인을 주재원 양성 훈련소로 만들겠다는 것이었다. 중국에는 이미 글로벌 경험을 충분히 한 주재원들이 많았고 새로운 국가에 주재원을 보내기 위해서 중국에서 어느 정도 경험을 한 직원을 새로운 국가를 총괄하는 브랜드 GM(General Manager)로 보내는 프로세스였다. 글로벌 경험이 있는 직원을 새로운 국가에 파견하게 되면 아무래도 경험이 있기 때문에 더 국가를 잘 관리하고 성장 시킬 수 있다고 판단한 것이다.

[episode 45 tip]

직장 생활에서 얻을 수 있는 것에서 경험만큼 중요한 것은 없다. 한 직장에서 10년 이상 근무하면 그 회사와 분야에서 경험이 있는 전문가라고 얘기할 수 있다. 최근의 많은 회사들이 이러한 경력을 가진 직원들의 경험을 저평가하고 있다. 오랜 경력을 가진 전문가들을 뒷방 늙은이 취급을 하고 MZ세대들의 기회를 대신 차지하고 있는 '꼰대'로 폄하되고 있다. 이러한 꼰대들은 오랜 경험을 바탕으로 문제의 핵심을 미리 파악하고 해결책을 쉽게 찾을 수 있는 능력이 있다. 갈등과 어려움을 해결한 경험들이 많이 있기에 인내심과 끈기가 있는 직원들이다. 많은 한국의 회사들이 경험이 풍부한 이 시대의 '꼰대'들에 대해서 존경심과 새로운 평가를 해 주기를 바래 본다.

Episode 46. 제임스 재테크 좀 배워!

오늘도 여전히 제임스와 나는 논쟁 중이었다. 재고조사와 관련해서 영업팀에 의견을 존중해서 그들의 의견을 수렴하자는 나의 의견과 새로운 방식의 재고조사를 실시해서 정확도를 높여야 한다는 제임스의 의견이 충돌한 것이었다. 제임스는 시스템과 데이터분석을 강조했고 나는 영업력과 현장의 경험을 더 우선시 한 것이다. 이 두가지가 한쪽으로 편향되지 않고 조화롭게 관리되어야 진정한 영업관리를 할 수 있을 것이다. 제임스와 근무시간에는 많은 업무의 논쟁이 있었지만 밤이 되면 우리가 언제 그랬냐는 듯 재미있는 회사와 가족 얘기로 시간 가는 줄 몰랐다.

당시 제임스의 약점이 있었는데 회사 업무를 제외하고는 세상사에 별로 관심이 없었다. 가끔은 상식이 부족하다는 생각이 들 정도였다. 모두가 그럴 수도 있겠지만 특히 제임스는 본인이 관심 없는 분야에서 기본적인 상식을 얘기해도 지식이 부족할 때가 있었다. 특히 부동산과 관련된 재테크에는 관심도 없고 지식도 부족했다. 저녁을 먹으면서 제임스에게 물어보았다. "말레이시아 조호바루에 주상복합아파트와 오피스텔 설명회가 주말에 있는데 같이 가볼래요?" 조호바루는 말레이시아에 위치했지만 다리만 건너면 싱가폴과 마주해 있고, 국제학교 및 병원 그리고 레고랜드 등 앞으로도 많은 시설들을 유치하게 되는 새로운 도시였다. 제임스도 흥미를 보였고 우리는 설명회에 참석했다. 생각보다 많은 한국인들이 와 있었고 메리트 있는 투자처로 보였다. 좋은 투자로 보였지만 문제는 그림으로 보는 것과 현장을 직접 보는 것은 다르기 때문에 현장을 필히 방문해야 했고, 투자 후에 어떻게 관리 할 것인지가 또 하나의 이슈였다. 부동산에서는 무료로 방문할 수 있는 투어 프로그램도 있었지만 향후 불확실한 우리의 거주지와 미래 방향 때문에 결국은 둘다 투자를 포기하였다. 돌아오는 택시 안에서 제임스가 얘기했다. "생각보다 재밌었어. 앞으로 나도 부동산 재테크에 관심을 가져봐야 할 것 같아" 제임스는 이 후 한국에 돌아와서 아파트와 분양권에 많은 관심을 가지게 된다.

[episode 46 tip]

저자의 인생의 목표는 타인에게 '선한 영향력'을 줄 수 있는 사람이 되는데 있다. 회사 생활에서 후배들에게 선한 영향력을 주기 위해 노력했고 선배들에게는 내가 가지고 있는 정보에 대해서 공유하고 좋은 결과물을 얻도록 도와주었다. 재테크의 필요성과 중요성을 알려주어 많은 선후배들이 투자에 관심을 가지게 하였다. 현재 몇 명의 선후배들은 이러한 나의 자극이 시작점으로 재테크에 많은 성공을 거두었다. 여러분도 좋은 영향력을 끼치는 사람들과 어울리고 좋은 영향력을 후배들에게 줄 수 있는 직장생활을 하길 기대한다.

Episode 47. 호주와 대만

본사의 글로벌 진출은 미국과 캐나다의 런칭을 시작으로 호주시장과 대만시장의 글로벌 진출도 계획하고 있었다. 중국에서 오랫동안 근무한 로버트와 나는 회사에서 정한 제한된 주재원 체류 기간을 넘어서 국가를 이동하거나 본사로 복귀 해야 하는 시점들이 다가오고 있었다. 국가의 주재원을 전문가로 만들어야 하는데 우리회사는 주재원이 하나의 명예이고 복지와 같은 개념으로 생각하는 것 같았다. 오랜 경험을 통해서 국가에 대한 이해도와 문화에 적응한 글로벌 국가 전문가로 육성해야 했는데 회사는 국가에 체류기간을 한정하고 그 이후에 1번의 연장만을 허락할 뿐이다. 그리고 그 마지막 연장의 기간도 지나게 되면 다른 국가로 이동하거나 본사로 복귀해야 했다. 이러한 것이 우리나라 회사 HR의 현주소이니 글로벌 리더를 육성해야 하는 방식은 당연히 알 수가 없을 것이다.

회사의 정책으로 우리는 반드시 국가를 이동해야 했다. 대만은 법인이 있는 상태였고 호주는 법인설립조차 되지 않은 상태였다. 로버트는 호주를 가고 싶어했고 나는 대만이든 호주이든 어디든 괜찮았다. 각 국가의 장점과 단점이 있기 때문이었다. 대만은 한국과의 물리적 거리가 가깝고 중화권이라 중국을 이미 경험한 우리들에게는 업무와 생활에서 쉽게 적응할 수 있는 장점이 있었다. 대만 출장을 통해 느낀 단점은 대만은 생활패턴이 단조롭고 타이페이 시내도 중국의 도시와 다르게 무엇인가 심심하고 무료한 느낌이었다. 그리고 중국에 비해 잘 형성되지 않은 한인사회와 코리아타운 등도 생활부분에서 단점으로 보였다. 반면에 호주는 아름다운 자연과 웨스턴 서구문화권이라 편리한 생활과 시민들의 문화의식이 장점으로 보였다. 무엇보다도 영어권 국가라 자녀의 교육에서 큰 장점을 가지고 있었다. 하지만 물리적거리가 한국에서 비행기로 11시간 거리이기 때문에 가족에게 무슨 일이 생기기라도 하면 한국에 들어오기가 쉽지 않을 것 같았다. 그리고 아직 법인이 없기 때문에 신생법인을 설립하고 새로운 비즈니스를 시작해야 하는 것이 단점으로 보였다. 로버트와 나는 회사를 통틀어 가장 오랜 기간동안 해외에서 주재원으로 근무하고 있었고 대만과 호주 중 어느 국가로 발령이 날지에 대한 본사 통보를 기다리고 있었다..

[episode 47 tip]

여러분이 해외 특히 서구권으로 출장을 가게 되면, 꼭 필요한 몇 가지 팁을 얘기하고 싶다. 당연히 아는 내용이겠지만 비행기가 국가에 착륙 할 때 절대 자리에서 먼저 일어나지 말아야 한다. 그리고 앞자리의 승객이 모두 나가고 당신도 움직여야 한다. 여러분의 위치에서 바로 앞에 열이 나가지 않은 상태에서 먼저 나가는 것을 주의해야 한다. 외국인의 입장에서 만약 당신이 앞자리 승객보다 먼저 움직이게 되면 당신을 예의 없는 사람으로 생각할 것이다. 또한 문을 열고 나갈 때 항상 뒤에 따라오는 사람을 확인하고 문을 잡아주는 예의를 갖추어야 한다. 엘리베이터를 타거나 내릴 때도 다른 사람이 먼저 나가도록 배려해 주는 것이 좋다. 에스컬레이터를 탈 때 먼저 앞서가는 라인의 방향이 영국과 호주 등은 다르기 때문에 국가에 방문했을 때 확인해서 당황하는 일이 없기를 바란다. 미팅 시 눈을 마주치지 않는 것도 예의가 아니지만 공공장소에서 너무 빤히 사람을 보는 것도 예의에 어긋나게 된다.

Episode 48. 나만의 고민

본사에서의 글로벌 진출에 대한 계획들은 구체적으로 진행되고 있었고 로버트와 나는 국가를 이동하는 HQ의 결정만을 기다리고 있었다. KK와 함께 상해 플래그십 매장 방문 후 랴호의 차에 올라탄 그가 낮은 목소리로 얘기했다. "따숑! 본사에서 호주 총괄 주재원으로 이동발령하기로 결정을 했고, 대만은 로버트가 이동하는 것으로 결정이 났어" 내심 기쁜 표정을 숨기고 퇴근 후 와이프에게 이 소식을 전했다. 와이프는 선진국인 호주로 가는 것에 대해 매우 기쁘게 생각했고 더 좋은 환경에서 아이들이 교육받을 수 있어 좋아했다. 반대로 나는 호주는 다른 브랜드도 진출하지 않아 아직 법인도 설립되지 않은 초창기 진출 국가라 부담이 많이 되었다. 그만큼 모든 것을 새롭게 준비해야 했기에 많은 도전과 준비가 필요하다고 생각했다. 18년 1월 발령으로 모든 계획이 준비되고 있었고 약 3개월 정도 중국에서 더 근무를 하게 되었다. 본사의 세부 계획은 발령이 나기 전 11월 말 한국 본사로 잠시 복귀해서 1개월간 호주 사전 출장을 다녀오고, 본사에서 호주 진출에 대한 사업계획을 정리해서 보고 하는 것이었다. 사전 출장을 가서 사무실을 먼저 계약하고 필요한 최소 인원의 직원도 면접하기로 하였다. 가족들은 일단 중국에서 지내며 호주에서 거주지와 비자 발급, 자녀들의 학교입학 허가가 완료되면 호주로 바로 이동하기로 하였다.

중국에서의 약 6년간의 생활도 이제 마무리 단계에 접어들고 있었다. 호주에서의 생활을 준비하기 위해 비자와 학교 거주지 등에 대해서 공부하기 시작했다. 우선 가장 시급한 비자에 대해서 알아보던 중 나는 충격에 빠지게 되었다. 호주에는 따로 주재원 비자가 없었고 장기 워킹 비자를 받아야 했는데 4년짜리 비자를 받기 위해서는 IELTS라는 영국 공인영어시험의 일정 점수 이상을 획득해야 했다. 본사의 글로벌 인사팀에서는 신규 국가에 대해서 세세히 준비하지 않았고, 주재원 1명 파견되는 국가에 대해 사전 조사도 충분히 하지 않았다. 스스로 인터넷과 커뮤니티 정보를 지속적으로 수집해서 결론 내린 것은 이 점수가 없으면 호주에서 장기 워킹 비자를 받을 수 없고 장기간 근무하기 힘들다는 것이었다. IELTS는 내가 한번도 경험해 보지 못한 영어시험으로 읽기, 듣기, 쓰기, 말하기 4가지 영역에 대해서 모두 일정 평균 점수 이상을 획득해야 하는 쉽지 않은 시험이었다. 외국인들이 영국의 대학교와 대학원에 진학하기 위한 아카데믹 목적으로 주로 진행하는 시험이었고, 영국과 호주에서 비자 발급을 받기 위해서도 필요한 시험이었다. 10년전 회사를 입사하기 전에 치른 토익 영어 시험이 가장 최근의 영어시험 이었고 회사 생활을 하면서 따로 영어 시험에 대해 준비한 적이 없었기에 어려운 시험을 어떻게 진행할 지 걱정이 앞섰다. 이 시험을 통과 못해서 장기비자를 못 받게 되면 모든 계획이 어긋날 것이고 영어 시험을 통과 못해 호주로 가지 못하게 되는 어처구니없는 상황을 생각하니 갑자기 가슴이 쿵광거리기 시작했다. 우선 인터넷을 통해 영어시험을 분석하기 시작했고 내린 결론은 절대로 혼자서 공부해서 쉽게 통과할 만한 시험이 아니라는 것을 알게 되었다. 비용이 들더라도 인터넷 강의를 듣고 우선 시험의 전체적인 유형을 파악해야 했다. 더 큰 문제는 한국으로 복귀하기 전까지 시험을 칠 수 있는 기회는 단 2번이었다. 한국으로 복귀 후에 시험도 가능하겠지만 현실적으로 본사에서 전략방안 수립과 사전출장 스케쥴의 일정을 고려하면 두번의 기회가 전부라고 판단했다. 온라인 강의 수강보다 시험접수가 먼저였기에 비싼 시험 비용을 먼저 결제하였다. 2번의 시험을 접수한 이유는 2차 시험접수 후에 1차 점수의 결과를 알 수 있으므로 1차 시험에서 원하는 점수를 얻지 못할 것에 대해 대비해서 미리 2차 시험접수까지 진행하게 된 것이었다. 자연스레 한숨이 밀려오기 시작했다. '아둔해진 머리로 짧은 시간동안 어떻게 잘 준비할 수 있을까' '미국과 캐나다 장기비자에도 불필요한 영어시험을 왜 호주정부는 요구하는가' 원망해도 필요 없는 불평만 속으로 내보내고 있었다.

[episode 48 tip]
많은 직장인들이 회사 업무를 하면서 아침이나 저녁 여가시간을 활용해 본인의 역량 개발을 위해 노력한다. 여러분이 어떠한 역량개발을 해야 할지 막연하고 무엇을 해야 할지 모른다면, 우선은 외국어 공부에 집중하는 것이 좋다. 그 중에서도 TOEIC시험 준비를 하는 것을 적극 추천한다. TOEIC 시험은 여러분이 이직을 준비하거나 또는 대학원을 입학할 때에도 유용하게 사용할 수 있기 때문이다. 최근의 토익 시험의 난이도가 상당히 어려워졌기 때문에 여러분이 10년전에 토익 점수가 있으시다면 그 점수는 머리속에서 잊으시고 새롭게 준비하시기 바란다. 물론 필요한 목적에 따라 TOFEL과 IELTS 등 국제적인 영어시험 성적이 있으면 좋겠지만 국내에서 여러분이 사용할 목적이라면 비용이 저렴한 TOEIC이 가장 적합할 것이다. 어떠한 역량 개발을 할지 계획과 의지가 불명확하다면, 본인의 목표 점수를 설정하고 TOEIC 시험에 집중해 보길 추천한다.

Episode 49. 시험은 너무 힘들어
시험까지 시간이 충분하지 않았다. 주중에는 칼같이 퇴근 후 집으로 돌아와서 인터넷 강의를 밤늦게 까지 들었고, 주말에는 아침부터 조용한 카페를 방문해서 실전 모의고사를 풀어야 했다. 이러한 나의 걱정과 계획을 알리 없는 제임스는 오늘도 같이 저녁에 술한잔을 하자고 얘기하고 있었다. "따숑! 요즘 이상해. 저번 주에는 회식도 불참하고, 좋아하는 저녁 술자리도 거부하고 무슨 일이 있어?" 눈치 빠른 제임스가 의심의 눈초리로 나를 바라보고 있었다. 이에 반응하지 않고 바로 집으로 돌아와 1주일 밖에 남지 않은 시험을 위해 마지막 준비를 하고 있었다. Listening과 Reading은 이전에 경험해 보았던 TOEFL 시험과는 다른 유형의 테스트였고, Writing과 Speaking은 사실 짧은 시간에 준비를 많이 할 수 없었기에 출퇴근 시간을 이용해 최대한 준비하였다. 나이도 들고 오랜만에 공부를 해서 집중력도 많이 떨어져 있었고, 공부 시간에 비해 효율성도 떨어져 있었다. 듣기와 읽기는 모의고사 점수라면 충분히 평균점수를 넘어설 수 있을 것이라 예상했지만, 쓰기는 영국에서 채점을 하게 되고 말하기는 당일 네이티브 담당관이 직접 평가하는 것이기 때문에 스스로 예측하기 힘든 부분이었다. 영국에서 최종 점수를 평가하기 때문에 최종 4가지 평가항목에 결과가 나오기까지는 약 3-4주가 걸렸던 것으로 기억한다.

지금까지 공부했던 것을 모두 정리하고 시험장으로 향했다. 너무 오랜만에 치르는 시험이고 한번도 경험해 보지 못한 유형의 시험이라 극도의 긴장감이 밀려오기 시작했다. 시험시간은 이른 아침이어서 많은 중국인 지원자들이 이미 시험장으로 들어오고 있었다. 중국에서 영어시험을 볼 것이라고 한번도 상상조차 하지 못했지만 나는 많은 중국인들 사이에 속해서 시험 시작을 기다리고 있었다. 듣기 시험이 시작되었고 긴장을 한 탓에 초반부의 쉬운 파트 주관식 답을 몇 개씩 놓치기 시작했다. 불안한 마음을 다 잡고 집중하기 시작했고 어떻게 듣기 시험을 끝냈는지 모르게 시간은 이미 지나가고 있었다. 리딩 파트는 내가 예상한 시험점수가 나올 것 같았고 쓰기는 시간이 부족했지만 주제가 어렵지 않았다. 문제는 생각지도 않았던 말하기 시험에서 발생했다. 말하기 시험은 직접 원어민 담당관이 처음에는 짧은 주제에 대해서 질문하고 시간이 지나면서 더 어려운 주제에 대해서 질문하고 답변하는 방식의 테스트였다. 담당자의 처음 질문에 당황하기 시작하고 다음 유사한 질문에 엉뚱한 대답을 하는 실수를 범하고 말았다. 시험의 결과는 2차 시험을 치고 3일이 지나면 결과를 알 수 있었다. 물론 오늘 시험에서 결과가 좋게 나오는 것이 최상의 결과이겠지만 그렇지 않다면 다시 2차 시험의 결과를 기다려야 했다. 시험을 보고 돌아오는 길에 제임스에게 전화했다. "형 코리아타운으로 나올 수 있어요? 할말이 있으니 저녁 같이 먹어요" 제임스는 내가 하는 모든 얘기를 듣더니 깔깔 대고 웃고 있었다. " 따숑! 시험에 통과 못해서 호주 못 가면 참 볼만 하겠어" 나는 심각한 표정을 지었다. 제임스는 걱정하지 말라고 얘기하였고 만약에 시험 통과가 안되어도 다른 방법이 있을 것이라고 나를 안심시켰다. 약 한달 간 공부해서 1차 시험을 준비했고 다시 3주간 준비를 통해서 2차 시험을 준비해야 했다. 우리는 마지막 술잔을 기울였고, 다시 2번째 시험을 준비하기 위해 집으로 돌아가는 나의 발걸음은 무겁게 느껴졌다.

[episode 49 tip]

필자의 성격 중 가장 큰 단점은 일어나지도 않을 일에 대해서 미리 걱정하고 염려하는 것이다. 매우 큰 단점이기도 하지만 가장 큰 장점이 되기도 한다. 미리 걱정하기 때문에 사전에 정보를 미리 탐색하고 행여라도 일어날 수 있는 장애물을 미리 파악하고 제거한다. 많은 사전 정보를 파악하고 미리 준비하기 때문에 결과가 좋을 수 밖에 없고 불확실한 상황에 대응할 수 있는 유연성도 좋아질 수 있다. 여러분에게 어떠한 일을 미리 걱정하라는 뜻은 아니며 필자처럼 미리 걱정하거나 염려하지 말라고 얘기하고 싶다. 하지만 여러분이 준비하는 업무나 프로젝트에 대해서 염려하고 걱정하는 것이 부정적인 것만은 아닐 것이다. 어느 정도의 걱정과 두려움이 있을 때 우리는 더 준비하고 발전된 모습을 향해 나아갈 수 있을 것이다.

## Episode 50. 청두 굿바이

3주가 빠르게 지나고 2차 시험을 치르고 나서 제이슨, 나잉과 함께 청두로 출장을 가게 되었다. 나잉과 제이슨에게도 이제는 중국을 떠나 호주로 가게 된다는 사실을 알려야 했다. 나잉과 제이슨은 동일한 업무를 진행하게 되어 업무상의 큰 변화는 없었고 북경에 있는 윌리엄이 나를 대신해 플래그십 업무

총괄을 진행하게 되었다. 예상했던 대로 법인은 북경 주재원의 불필요성을 느끼고 윌리엄을 상해본부로 이동시키게 된 것이었다. 아이러니하게도 7년전 윌리엄은 부산에서 근무하다가 본사를 가게 되었고 윌리엄의 자리에 내가 이동발령을 가게 되었는데 이제는 반대로 내가 호주로 가게 되면서 나의 자리를 윌리엄이 맡게 된 것이었다.

청두에 도착한 우리는 플래그십을 방문해 새로 나올 메뉴를 테스트하였다. 제주도의 컨셉을 살린 음료와 케익의 인기는 서부의 젊은 세대들에게도 큰 인기를 끌고 있었다. 청두의 플래그십은 상해와 달리 외부 테이블과 의자를 구비해서 맑은 날씨에는 사진을 찍기 좋아 서부의 핫플레이스 플래그십으로 자리잡아가고 있었다.

매장 영업종료 후 모든 직원들을 훠궈식당으로 모이게 하였다. 우선 나잉과 제이슨에게 호주 주재원으로 가게 되었고 윌리엄이 후임으로 오게 될 것이라는 사실을 전달하였다. 나잉과 제이슨은 아쉬움에 눈물을 보였고 꼭 중국에서 다시 만나자고 다짐하였다. 이번 청두 방문이 마지막이라 여겨졌고, 직원들에게도 감사의 인사와 더 멋진 플래그십으로 만들어 주기를 당부하였다. 나잉과 제이슨은 아쉬움이 남았는지 칭다오 맥주와 간단한 안주를 사서 호텔방으로 들어왔고 우리는 못다한 얘기로 밤이 깊어 가는지 알지 못했다. 아침 일찍 우리는 상해로 돌아가기 위해 호텔을 나와 택시를 잡고 있었다. 오전부터 안절부절하지 못한 나를 보고 나잉이 물었다. “따숑님 무슨일이 있는거에요? 왜 이렇게 불안해 보이세요?” 내가 아침부터 안절부절하지 못했던 이유는 1차 시험의 결과가 나오는 날이 오늘 오전이었기 때문이었다. 제이슨은 복잡한 시내에서 출근시간에 잡기 힘든 택시를 잡고 있었다. 한참을 기다린 후 택시에 올라탄 우리는 청두공항을 향해 출발하였다. 시험의 결과는 5분 후 나올 예정이었고 지정된 시간이 지나자마자 바로 온라인 성적표를 조회해 보았다. 왼쪽손에 핸드폰을 눈으로 보면서, 오른쪽 주먹을 아래에서 위로 올리는 히딩크의 세레모니가 나도 모르게 나왔다. 환호성에 놀란 나잉과 제이슨은 뭔가 좋은 일이 있다는 사실만을 눈치채고 있었고 더 이상의 관심은 보이지 않았다. 나는 와이프에게 호주에는 문제없이 갈 수 있게 되었다는 문자 메시지를 보냈고 와이프는 이 소식에 기뻐했다. 2차 시험의 결과와 상관없이 1차 시험에서 필요한 결과를 얻을 수 있어 마음이 훨씬 가벼워졌다. 비행기가 이륙해서 창가로 보이는 청두의 모습을 한없이 바라보았다. 플래그십 오픈을 위해서 20-30차례 이상 비행기를 타고 출장 왔던 곳이며 중국의 도시중에 가장 좋아했던 곳이었다. 이제 다시는 이곳을 올 수 없다고 생각하니 씁쓸한 마음이 밀려오기 시작했다. 중국에서의 시간들도 이제 마지막을 향해 달려가고 있었다.

[episode 50 tip]

필자가 회사 생활을 하면서 우리 브랜드가 가장 좋았던 점이 몇 가지 있는데 그 중에서 가장 아름다운 기억은 초창기 우리 조직은 '패밀리' 마인드가 있었기 때문이었다. 같은 직장에서 같은 목표를 향해 달려가는 동료들과 서로를 위로해주는 가족 마인드가 있었다. 이러한 것을 할 수 있었던 것은 CEO가 진정한 비전과 마인드를 가지도록 본인이 먼저 가족 경영을 실천하고 구성원들이 이에 대해 진정성을 느끼게 한 것이다. 2010~15년도에 실질적으로 우리 브랜드의 대표는 가족 같은 조직과 브랜드 비전을 실천하였고 많은 구성원들이 실질적으로 이러한 패밀리마인드와 주인의식을 가지고 업무에 임하게 되었다. 여러분이 직장에서 리더의 위치 또는 일반직원으로써 맡은 임무를 잘 수행하며 이를 뛰어 넘어 회사의 일이 본인의 개인 비즈니스와 동일하다는 주인의식을 가져야 한다. 또한 주변의 동료들을 여러분의 가족이라 생각하며 서로 도와가며 존중한다면 좀 더 행복한 돼지우리 안의 생활을 할 수 있을 것이다.

## Episode 51. 20년 우정을 만나다

상해에서의 6년간의 주재원 생활도 이제 겨우 2달 남짓 남은 날이었다. 초등학교 4학년 때부터 단짝 친구인 현에게서 갑자기 전화가 왔다. 자주 전화로 연락하고 지냈지만 해외주재원으로 나오고 나서는 한국 출장 기회가 있을 때 잠시 서울에서 얼굴을 봐왔다. 현은 주말을 이용해 잠시 상해를 오겠다고 하였고 나는 흔쾌히 그가 오기만을 기다렸다.
금요일 홍차오 공항에 미리 도착해 그를 기다리고 있었고 출국장 저 멀리서 그가 걸어나오기 시작했다. 현의 뚱뚱한 체구와 성격은 나와 완전히 반대였다. 적극적인 성격에 활동적이라서 집에서 머물기를 좋아하는 나와 달리 외부에서 밤까지 활동을 꼭 해야 하는 전형적인 MBTI E의 스타일이었다. 호기심과 넉살이 좋아서 궁금한 것은 참지 못하고 사람들과 만나는 것을 무척이나 좋아하는 성격의 친구였다.
우리는 코리아타운으로 향했고 밤을 세워가며 이야기 꽃을 펼쳤다. 현의 최고의 관심사는 부동산 재테크였다. 현은 어렸을 때 부모님이 시장에서 어렵게 장사를 하시면서 경제적으로 넉넉한 유년시절을 보내지 못했다. 그래서인지 현은 경제적으로 풍요로운 삶을 제1의 인생 목표로 두고 있었다. 사립 고등학교 교사였던 현은 부동산 재테크를 통해 경제적으로 부유해 지고자 주말마다 김포를 비롯한 서울의 재개발 위주의 부동산을 임장하고 공부하고 있었다. 자본금이 많이 없어서 소형 빌라 등에 투자하며 부동산 전문가로 성장하고 있었다.
이 책을 읽는 여러분들은 부동산에 투자하는 것을 투기로 오해 하지 말았으면 한다. 자본주의와 민주주의 사회에서 본인의 부채와 자본을 통해서 본인이 노력해서 정보를 얻고 실제로 경험을 통해 투자하는 것이 어떻게 잉여이익이라고 할 수 있는가? 여러분의 생각과 나의 이념이 다를 수는 있겠지만 서로의 의견을 존중하는 우리 사회를 만들었으면 좋겠다. 주식에 투자하는 것과 비트코인에 투자하는 것, 부동산에 투자하는 것, 이 모든 투자는 자본주의와 민주주의 사회에서 문제 될 것이 없다고 필자는 판단된다. 다만 다른 사람이 모르는 소수가 정보를 통해 얻는 수익은 분명이 잘못된 일이다. 여러분의 생각이 다르다면 그 또한 존중하도록 하겠다.
현은 재미있는 부동산 투자 경험을 많이 이야기 하였고 현의 와이프는 공인중개사 시험에 합격했다는 애기도 전해주었다. 현은 상해 방문이 처음이 아니었기에 일반 여행으로 가지 않는 신천지를 비롯해 상해 현지인들이 자주가는 상권을 위주로 여행을 하였다. 현과는 중학교를 빼고 고등학교도 같은 출신이었고 대학입학 후에도 군대 제대 후에도 우리는 끈끈한 관계를 이어왔다. 사실 친구를 넘어서 가족의 개념인 친구였다. 빠르게 시간은 흘렀고 드디어 헤어질 시간이 다가왔다. "현 ! 조심히 가고 12월에 한국에서 시간 꼭 내서 봐" 아쉬움을 뒤로 하고 현은 입국장에서 유유히 사라져 갔다.

[episode 51 tip]

여러분이 직장 생활을 이제 막 시작하는 초년생이라면 꼭 청약통장을 개설해야 한다. 청약통장은 금액도 중요하지만 매월 일정금액의 청약금액을 일정기간 넣어야 혜택을 볼 수 있다. 청약통장을 활용하여 새 아파트의 분양권을 당첨 받을 수 있다. 사회 초년생들이 가장 실수 하는 것이 본인은 아파트를 살 만한 자금이 충분하지 않기 때문에 신규아파트 분양에 도전하지 않는 경우들이 많다. 여러분의 주변 지인들도 보통의 아파트를 100% 본인 현금으로 구매하는 경우는 아마 10%로도 되지 않을 것이다. 대부분 분명 대출이 있을 것이다. 신규 아파트 분양을 받으려면 여러분은 최소한 계약금 10%로는 반드시 준비해야 한다. 중도금은 보통 아파트 가격에 60% 정도이며 중도금은 유이자 또는 무이자로 진행하게 된다. 지역에 규제에 따라 다르지만 인기 있는 아파트는 분양 후 10% 계약금을 낸 후 일정기간 후 프리미엄을 받고 매도 할 수 있다. 사실 계약금과 중도금, 잔금이 모두 준비되면 좋지만, 완공 후 전세가가 높은 지역이라면 잔금을 전세로 돌릴 수도 있다. 그리고 일부 부족한 금액은 분양 후 건축이 완료되는 시간까지 2-3년간 열심히 저축해서 준비하게 되면 아파트를 분양 받을 수 있는 방법이 있으니 여러분 스스로 공부해 보시면 좋겠다.

## Episode 52. 말년 병장의 실수

17년 11월 말이 다가왔고 상해의 기온도 점차 낮아져 겨울이 다가오고 있었다. 로버트와 나는 박람회에서 만난 헤드헌터를 통해서 가끔 이직할 수 있는 기회를 문자를 통해 받아왔었다. 사실 동종업계에서는 우리회사가 매출이 가장 높았고, 그만큼 연봉도 다른 기업에 비해 좋은 조건이었기에, 타 브랜드로 이동하려면 직급을 매우 높이고 연봉도 높게 받아야 해서 이직을 하는 것이 쉬운 일은 아니었다. 그리고 이 당시에 로버트와 나는 회사에서 많은 인정을 받고 있어서 회사 이직에 대해서 고려하지 않고 있었다. 우리는 카카오톡으로 대표님과 마케팅, 영업 임원들까지 포함된 중국 매출 보고방이 개설 되어 있어서 매주 간단한 매출 보고를 하고 있었다. 퇴근 후 집에서 쉬고 있을 때 문자 한통이 와서 확인해 보니 한국에서 꽤 유명한 브랜드에서 총괄 주재원 업무를 담당할 임원급 인사를 채용하고 있었다.

이미 호주로 가기로 결정했기에 관심이 없었지만 로버트에게도 이 문자가 왔는지 궁금해서 카톡으로 메세지를 보냈다. "로버트! 그 헤드헌터가 이직정보 알려주는 문자 왔어? A브랜드 중국 브랜드 총괄 포지션이네" 카톡을 보내는 동시에 잘못된 채팅방에 문자를 보냈다는 것을 알아차렸다. 이 당시만 해도 카톡으로 문자를 보내면 삭제하는 기능이 없을 때였다. 나는 어떻게 해야 할지 몰라 당황해 하고 있었고 제임스와 윌리엄에게서 급하게 문자가 왔다. "따송! 문자 잘못 보냈어" 이미 엎어진 물이었다. 대표님을 비롯한 KK부터 이 내용을 다 읽은 것이다. KK에게서 전화가 왔고 화가 난 KK는 호주 발령부터 모든 것이 잠정 보류라고 엄포를 놓았다. 한국본사 복귀 1주일을 앞두고 일어난 사건이었다.

당시 KK상무는 글로벌 사업 디비전이 본부까지 겸직하게 되면서 중국과 한국을 오가고 있었다. 한국에서 머물고 있던 KK는 화가 나 있었고 나는 1주일 후 한국본사로 들어가 그를 만났다. "따송! 로버트와 너를 믿었는데 어떻게 회사 이직 생각을 해" 사실 KK는 우리보다 더 많은 이직 제안을 받고 있는 것을 우리는 이미 알고 있었다. 사실은 이직을 원해서 메시지를 보낸 것이 아니라 이직제안이 와서 궁금한 마음에 로버트에게 메시지를 보내는 것이라 설명했고 이직의 마음은 없음을 거듭해서 애기하였다. 말년 병장은 젖은 낙엽에도 넘어질 수 있으니 조심해야 한다는 말이 머리 속에 맴돌기 시작하였다. 모든 것이 나의 실수였다. 본사에 있는 동안에도 KK의 마음을 돌리기 위해서 쥐 죽은 듯이 조용히 행동했다. 실수는 생각지도 못한 곳에서 발생했고 12월의 한국 겨울 추위만큼 나의 마음도 꽁꽁 얼어붙어 있었다.

[episode 52 tip]
여러분도 직장생활에서 실수를 자주 하게 될 것이다. 작은 실수에서 큰 실수까지 많은 실수를 할 수 밖에 없다. 업무에서의 실수는 경험이 될 수 있지만 만약 회사에 중대한 피해를 끼치는 실수는 여러분의 커리어에도 도움이 되지 않기 때문에 항상 주의해야 한다. 업무에 실수가 아닌 인간관계 속에서도 동료에게 피해를 끼칠 수 있는 언행이나 행동을 항상 주의해야 한다. 동료가 느낀 부정적 경험과 피해는 본인이 상상한 것 이상으로 상처를 받을 경우가 있다. 만약이라도 이러한 실수를 하게 된다면 진심으로 사과해야 하며, 이러한 일이 일어나지 않도록 매사 언행과 행동을 주의해야 한다.

## Episode 53. 그래 내가 HR 담당이야

한국에 입국하고 브랜드 인사팀 팀장과 면담을 진행하였다. 역시나 HR에서는 호주에 장기워킹비자에 대해서 전혀 모르고 있는 눈치였다. IELTS 시험 없이는 비자를 받을 수 없을 것이고 호주 비자의 수속기간이 상당히 길기 때문에 바로 비자를 받고 나갈 수 없다는 정보를 전달했다. HR팀장은 걱정스러운 표정을 지었지만 나는 영어시험을 중국에서 이미 패스해서 문제가 없을 것이라고 얘기했다. 중국에 있으면서 강남에 위치한 호주 비자 전문 에이전시와 이미 컨택하고 있었기 때문에 이 업체를 HR에 소개하였다.

우리는 강남에 위치한 에이전시를 방문했고 예상했던 대로 장기 비자를 받기 위해서는 영어점수가 필요했다. 해외에서 대학을 나왔거나 법인장 포지션으로 신청하면 영어점수가 필요 없는 경우도 있지만 이러한 경우로 신청하더라도 시험점수가 없으면 비자가 나올 수 없는 경우도 있다고 에이전시는 설명하였다. 중국에서 미리 준비한 시험이 큰 도움이 되었다. 하지만 에이전시의 얘기를 들으면서 여러가지 걱정거리가 발생했다. 장기 비자를 신청하기 위해서는 법인 설립이 우선되어야 했고 그 외에도 회사관련 제출서류들이 많이 있었다. 에이전시 대표는 장기 비자를 입국 후 신청하고 단기 워킹 비자를 출국 전 신청해서 진행하는 방식을 제안하였다. 단기 비자는 6개월 정도 호주에서 근무할 수 있는 비자였고 이 비자를 먼저 받은 다음 호주에 들어가서 장기비자를 신청하면 되는 것이었다. 문제는 가족들은 단기비자를 신청할 수 없었기에 관광비자로 입국한 후에 장기비자가 나오기 전에는 3개월마다 호주에서 해외로 다시 출국했다가 입국해야 하는 불편함이 있었다. 더 큰 문제는 초등학교 입학이 관광비자로 가능한 부분이었고 이러한 세부사항은 에이전시에서도 정확한 정보를 알지 못했다. 또 하나의 이슈는 단기비자를 보유하게 되면 거주지 계약에도 많은 어려움이 있을 것 같았다. 부동산 계약 시 보통 외국인 주재원 신분이면 월급 내역서 및 비자증명 서류를 통해 계약이 가능했기에 단기 비자 상태에서 계약이 가능할지도 의문이었다.

교육과 주거지의 문제는 호주에 입국해서 교육청이나 초등학교에 직접 방문하고 부동산 에이전시를 통해 현지 상황을 알아보기로 결론 내렸다. 결국 우리 브랜드의 인사팀은 나에게 전혀 도움이 되지 않았다. 어차피 처음부터 내가 알아보고 진행했으니 호주에 가서도 내가 해결하면 될 것이다. “그래 내가 HR 담당이야! 내가 해결하면 돼. 분명히 방법이 있을 거야” 속으로 애타는 마음을 숨기고 에이전시 미팅을 끝낸 후 본사로 복귀하였다. HR 팀장과 영어시험 비용에 관해서 얘기하는 도중 화가 치밀어 올랐다. 본사에서는 내가 미리 영어시험을 개인 비용으로 진행했기 때문에 HR에서 보상을 해줄 수가 없다는 것이었다. 인터넷 강의는 그렇다 치더라도 1번의 시험비용도 미리 개인비용으로 진행했기 때문에 처리할 방법이 없다는 것이었다. ‘나는 도대체 무엇을 위해서 미리 준비하고 노력했다는 것인가’ 회사의 무책임한 프로세스에 화가 났지만 영어 공부를 위해 투자했다고 생각하는 것만이 화를 다스릴 수 있는 최선의 해결책이었다. 그들은 내가 미리 준비한 것에는 관심이 없었다. 그들의 인사 프로세스 틀 안에서 불편한 방식은 절대 인정하지 않으려 했던 것이다. 인사 담당자의 권위적이고 유연성 없는 프로세스를 보면서 본인들도 언젠가 이와 같은 상황에 처했을 때 어떤 느낌일지 상상하였다. 당신들도 지금은 모르겠지만 이후에 분명 내가 느낀 감정을 알게 될 것이다. 부정적 생각이 머리를 떠나지 않았지만 조용히 강남의 거리를 빠져나와 본사로 향하였다.

[episode 53 tip]

여러분의 동료들이 회사로부터 이해할 수 없는 부당함이나 어려움을 겪게 되었을 때, 직접적으로 여러분들에게 당장의 손해가 없다고 간과하거나 무시하면 안 될 것이다. 동료들이 겪은 부당함이나 비합리적인 프로세스로 인한 손해들은 장기간 회사생활 중 여러분들도 유사한 어려움과 고통을 겪을 수 있다. 여러분에게 회사에서 '정의의 사도'가 되라는 것이 아니다. 모두가 공감하는 불평등과 불합리적인 프로세스는 여러분의 후배들을 위해서라도 반드시 개선되어야 할 일이기 때문이다. 불합리한 프로세스에 대해서는 많은 동료들이 함께 힘을 모아서 개선해야 하는 목소리를 내야 한다. 우리나라 회사의 많은 인사조직들은 HR이 회사의 직원들이 존재하기 때문에 필요한 조직이라는 것을 명심해야 한다. HR 부서는 직원들을 위해서 봉사하고 프로세스 개선을 통해서 직원들이 조직 내에서 어려움 없이 근무할 수 있도록 지원하는 부서라는 사실을 명확히 알아야 할 것이다.

# 제3화 호주에서의 4년

## Episode 54. 스티븐과의 사전 출장

스티븐은 나보다 4년 선배였지만 타 브랜드에서 우리 브랜드로 이동발령 되어서 서로를 잘 알지 못했다. 스티븐은 당시 신규 진출국인 필리핀과 호주를 지원하는 역할을 했었고, 그룹전략팀에서는 호주법인 설립에 필요한 프로세스와 사무실 계약 등의 일부업무를 같이 지원해주고 있었다. 그룹전략팀에 소속된 J와 스티븐과 함께 호주로 사전 출장을 떠나게 되었다. 12월 한달 동안 나는 홍대 근처에 위치한 작은 호텔에서 생활했고 호주 1주일간의 출장 후에 호주진출 사업 계획을 대표와 임원들에게 발표하고 12월 말 호주로 이동하기로 계획하였다.

국가 부임 전 사전 출장 시 주거지 계약과 자녀학교 등을 해결하는 것이 통상적이나 이번 사전 출장에서는 사무실 임대계약과 변호사 미팅, 직원 채용 면접이 진행되어야 했다. 출장 중에 중요한 미팅이 있었는데 현지 법인장과 미팅을 해야 하는 것이었다. 아직 다른 브랜드가 진출하지 않은 상황에서 현지 법인장을 미리 채용한 것이었다. 그녀는 동종업계 출신으로 백인 여성이라는 간략한 정보만 알 수 있었다.

설레는 마음을 품고 우리 세명은 시드니로 향했다. 시드니에서 유명한 피츠스트리트 상권을 조사하고, 경쟁사의 브랜드 입점 상황도 점검하였다. 시드니에서는 법인 설립 후 자문을 위한 한인 변호사들과의 미팅도 진행하였다. 호주법인의 본사는 시드니가 아니라 멜버른이었다. 아직도 이해가 되지 않지만 그룹전략팀에서 글로벌 동종업계의 본사가 위치하고 있고 다소 임대료가 저렴한 멜버른을 본사로 이미 정한 것이었다. 시드니에서는 스티븐의 추천으로 수요계획 업무를 추진할 한국인 후보자의 면접도 진행하였다. 리를 비롯해 2-3명의 면접을 호텔로비에서 진행했고, 그 중에 리가 가장 괜찮은 지원자였다. 멜버른에서도 면접이 진행되어 있었기 때문에 더 괜찮은 지원자가 없을 경우 리를 채용할 생각이었다.

시드니에서 바쁜 일정을 끝내고 멜버른으로 향했다. 시드니에 비해 다소 조용하고 평화로운 멜버른이 더 매력 있게 느껴졌다.

멜버른에 도착한 우리는 법인장인 라인을 마주하였고 그녀와 함께 몇 군데 후보지의 사무실을 살펴보았다. 3군데 이상의 사무실 후보점을 살펴보고 그녀와 나는 도심 중심부에 위치한 작은 사무실을 계약하기로 결정했다. 이 사무실은 규모가 적당했고 향후 비즈니스 상황에 따라 사무실 확대도 쉽게 가능하다는 장점이 있어 보였다. 가장 중요했던 사무실 계약이 마무리되자 멜버른에서 유명한 식당에서 스테이크 와인을 마시며 다음날의 일정을 애기하였다. 스티븐이 애기했다. "브라이언! 내일 9시부터 6시까지 계속해서 면접이 3일간 연속 진행될거야. 오늘은 푹 쉬어야 해" 면접을 3일간 본다는 것은 쉬운 일이 아니었다. [앞으로 중국에서 사용한 이름인 따송이 아닌 호주에서 사용한 영어 이름 브라이언으로 지칭하고자 한다]

다음 날 아침 스티븐과 나는 면접을 보기로 한 에이전시가 있는 사무실을 찾았다. 우리는 3명의 직원을 먼저 채용하기로 결정하였다. 오픈을 할 때 필요한 마케팅 직원과 VMD를 포함해서 인테리어 시공을 담당할 직원과 제품수입에 필요한 업무를 담당한 수요계획직원을 채용하고 호주 부임 후에 영업과 전략담당을 2명 더 추가 채용하기로 결정하였다. 사무실에 들어서자 이력서가 첨부된 서류들이 눈에 보이기 시작했다. '사람을 잘 선택해야 비즈니스를 성공할 수 있다' 속으로 혼잣말을 하며 서류들을 자세히 살펴보기 시작했다.

[episode 54 tip]

필자는 성공한 조직의 비결은 훌륭한 직원이 그 조직에 많기 때문이라 확신한다. 신생 조직에서 훌륭한 직원 채용에 실패하면 그 사업의 80%는 실패할 것이며, 채용에 성공하면 그 사업의 80%는 이미 성공했다고 생각해도 된다. 그만큼 어떠한 직원을 채용하는 것이 사업의 성공과 실패를 좌우할 때 가장 중요한 일이다. 그렇다면 필자가 지칭하는 훌륭한 직원은 어떠한 사람인가? 단어로 쉽게 애기하면 열정, 애사심, 진취적 생각, 도전의식, 좋은 인성, 팀워크를 가진 직원이라고 애기할 수 있다. 능력이 뛰어난 사람 혼자서 절대로 비즈니스를 성공시킬 수 없다. 좋은 팀을 만들어야 좋은 성과를 낼 수 있다. 좋은 성과의 팀을 만들기 위해서는 앞에 열거한 단어를 가진 직원들이 필요하다. 여러분도 채용을 할 수 있는 기회가 오면 필자가 충고를 통해 잠재적으로 훌륭한 직원들을 채용하기를 바란다.

Episode 55. 그녀들과의 만남 Nikki & Summer

이른 아침부터 면접이 시작되었고 마케팅을 담당할 지원자들이 한 명씩 면접장으로 들어오기 시작했다. 스티븐과 번갈아 가며 이력서를 바탕으로 집중적으로 질문하였다. 이미 40-50개의 영어질문을 한국에서 준비해서 갔기 때문에 지원자의 성향에 따라 예정된 질문을 물어보았다. 많은 지원자들이 이력서상에 경력은 화려하지만 실제 면접에서 질문에 내가 원하는 답변을 하지 못했다. 겉으로 화려한 것 같지만 내공이 없는 지원자들이 대부분이었다. 면접은 오전을 지나 늦은 오후까지 진행되었지만 만족스러운 지원자가 나타나지 않았다. 면접은 계속되었고 동종업계에서 근무 경험도 없는 지원자 한 명이 들어왔다. 별관심없이 이력서를 읽어 보면서 스티븐의 질문이 시작되었다. "니키는 동종업계에서 경험이 없는데 왜 우리 브랜드에 지원하게 되었어요?" 니키는 명확한 목적과 이유를 가지고 답변에 임하고 있었다. 나는 이력서를 보면서 고개 숙였던 얼굴을 살며시 들어 그녀를 바라보기 시작했다. 스티븐 질문에 이어서 나의 질문이 계속되었고 그녀는 내가 원하는 답을 알고 있었다. 열정이 넘쳐나고 스마트하며 책임감이 뛰어난 지원자라는 것을 한 눈에 알아볼 수 있었다. 단점은 그녀가 동종업계 마케팅에서 근무한 경험이 없다는 것이었다. 분명 KK가 반대할 것이 분명하지만 한국으로 돌아가 KK를 어떻게 하더라도 설득할 생각이었다. 마케팅 담당자 후보들의 면접이 끝나고 우리 세명은 한국 식당으로 향했다. 스테이크와 햄버거, 파스타 위주로 식사를 해서인지 한국음식이 그리웠다. 한국에서 유명한 MR.백의 식당이 보였다. 우리는 하루의 피로를 한잔의 소맥과 따뜻한 한국음식으로 해소하고 있었다.

다음 날 인테리어 시공업무와 VMD를 담당할 지원자들의 면접이 이어졌다. 인테리어 담당은 업체와 쇼핑몰과 협상을 잘해야 하고 커뮤니케이션 능력이 뛰어난 지원자를 채용해야 했다.

마케팅 담당자에 비해서 연봉도 낮은 편이어서 지원자가 많지 않았다. 호주는 세금 및 물가가 높기 때문에 그 당시에도 연봉 5-6천은 기본으로 지급해야 했다. 코로나 이후에는 호주 연봉 평균은 훨씬 더 높아진 것으로 알고 있다. 지원자가 많지 않았지만 눈에 띄는 지원자를 오전 일찍 만나 볼 수 있었다. 그녀는 중국 태생으로 호주에서 대학을 졸업하고 영주권을 받아 의류 브랜드에서 VMD 경력이 있는 지원자였다. 중국어와 영어를 동시에 잘 구사하고 열정과 의지가 넘쳤으며 클레버한 지원자라는 것을 본능적으로 느낄 수 있었다. 그녀는 우리 브랜드에 대해서도 많은 지식을 보유하고 있었고 연봉에 관계없이 꼭 우리 브랜드에서 일하고 싶다는 의지를 표현했다. 채용은 순조롭게 진행되었고 시드니의 리를 포함 니키, 섬머까지 목표했던 3명의 담당자를 채용할 수 있을 것 같았다. 내일 수요계획에서 리를 능가하는 지원자가 없다면 리를 최종 선택하고 3명의 채용을 끝내고 한국을 돌아갈 수 있을 것이다. 늦은 밤 호텔을 돌아가 내일 만나게 될 지원자들의 이력서를 살펴보면서 피곤한 채 소파에서 잠이 들고 있었다.

[episode 55 tip]
여러분이 직장 생활을 할 때 데이터를 기반으로 해서 자료를 해석하고 논리적으로 미팅하고 대화하는 기술은 매우 중요하다. 더불어 중요한 것은 감각적인 능력을 키우는 것이다. 물론 이러한 부분은 어느정도 선천적으로 타고난 능력이 있어야 하지만 업무를 진행하거나 프로젝트를 진행 시 감각적인 능력을 키워야 한다. 감각적인 능력을 키우는 방법은 선천적으로 그러한 능력을 가진 사람과 그렇지 않으면 업무와 프로젝트를 통한 경험에서 체득할 수 있다. 처음부터 여러분이 감각적인 능력을 가질 수 없지만 반복되는 업무를 통해 배운 경험들이 이 후 여러분이 비슷한 상황을 만나게 되면 좀 더 슬기롭게 문제를 해결할 수 있는 감각적인 능력을 발휘하게 될 것이다.

Episode 56. 사이먼 이 녀석이야!
어김없이 마지막 사전 출장의 날이 다가왔다. 오늘 면접을 끝내고 우리는 내일 시드니를 거쳐 서울로 돌아가게 되었다. 마지막날 면접은 더 좋은 지원자가 없는 이상 시드니에 리를 채용할 마음이어서 오늘의 면접은 부담감이 전혀 없었다. 수요계획 담당은 한국어를 능숙하게 구사하는 영주권자 이상을 채용하려 하였다. 이유는 본사와 법인 설립과 기타 허가 오픈 업무지원도 같이 진행해야 했고 PO의 특성상 본사와 커뮤니케이션할 일이 많았기에 한국어에 능통한 직원이 필요했다. 아침부터 면접에 응한 지원자들은 대부분 호주에서 10년 이상 생활해온 영주권자와 시민권자들이었다. 면접을 진행하면서 놀라운 사실을 발견하였다. 대부분 호주에서 장기간 회사 생활을 한 지원자들이어서 영어 실력은 상당히 좋을 것으로 기대했다. "지원자님! 간단하게 왜 우리회사에 지원했고 앞으로 진행하실 업무에 대해서 어떤 포부와 목표가 있는지에 대해서 간단하게 영어로 얘기해주세요" 생각보다 많은 지원자들의 영어 실력이 형편없었다. 호주에 있으면서 본인이 익숙한 영어 대화 외에는 한국인들과 많이 만나고 생활했기 때문일 것이라 추측했다. 그리고 호주 대부분의 이민자들이 워킹 홀리데이 비자를 통해서 왔고 10-20년 전 당시에 호주에서 영주권을 받기는 매우 쉬웠기 때문일 것이다..

대부분의 지원자들이 소규모 기업에서 짧은 경력이 대부분이었고, 학력도 높지 않은 지원자들이 다수였다. 한국인 이민자들이 호주에서 할 수 있는 직업의 제한적이겠다는 생각을 하게 되었다. 이제 남은 면접 지원자는 2명이었다.

서글서글한 얼굴에 어울리지 않는 양복차림에 한 지원자가 들어왔다. "사이먼님! 본인 소개 1분 간단히 해 주세요" 순간 나도 모르게 직관적인 느낌이 들었다. "이 친구와 같이 일하게 되겠군" 순수하고 차분한 성격이고 열정이 넘쳐 보였다. 불확실성을 제거하기 위해 나는 계속해서 인성을 파악할 수 있는 질문과 이전 회사에서 이직하려는 의도에 대해 집중적으로 질문하고 있었다. 면접은 끝이 나고 스티븐에게 의사를 물어보았다. 스티븐도 사이먼이 괜찮은 지원자라고 얘기했지만, 스티븐이 소개한 리가 더 적극적인 면에서 괜찮을 것 같다고 얘기했다. 고민이 밀려오기 시작했다. 나는 우선 에이전시에게 본사로 복귀 후에 임원진들과 상의한 후 최종결과를 알려줄 수 있고 상황에 따라서 화상으로 추가 면접 요청이 있을 수 있다고 설명해 주었다.

멜버른은 인천공항까지 직항이 없었기 때문에 우리는 시드니를 거쳐 한국으로 돌아와야 했다. 그룹 전략팀의 J는 다른 출장 일정이 있어서 우리보다 하루 빨리 귀국을 하였다. 시드니 공항에서 수하물을 내려놓고 체크인 하는데 항공사 직원이 질문했다 "J님과 일행이시죠?" 나는 그렇다고 얘기했고 항공사 직원은 비즈니스 클래스로 업그레이드 해주겠다고 얘기하였다. 아마도 그룹사에서는 출장이 많이 있어서, VIP 고객들을 위한 무료 업그레이가 진행되었던 것이다. 처음 탄 비즈니스석에서 10시간의 비행은 처음 느끼는 비행의 행복감이었다. 잠이 빨리 들기 위해 와인을 마시면서 고민했다. 리는 성숙하다는 장점이 있지만 경력과 나이가 많아 관리하는 부분이 힘들어 보였고 사이먼은 아직 사회 경험이 부족하지만 열정과 성실함이 돋보였다. 돌아오는 비행기안에서 사이먼에게 나의 마음이 점점 기울고 있었다.

[episode 56 tip]

주재원 생활을 하면서 가장 후회스러운 것은 그 나라의 문화와 사회에 대해서 충분히 경험하지 못한 것이다. 여러분이 혹시라도 해외출장의 기회가 있다면 일정이 끝난 후 야간에 꼭 많은 곳을 방문해 보아야 한다. 필자는 중국에서 업무 때문에 많은 관광지를 다녀 보지 못했고, 호주에서 가까운 뉴질랜드와 호주 내에서도 서부지역인 퍼스는 방문조차 하지 못했다. 주재원 귀임 전에 반드시 시간이 있을 것이라 생각하고 기회를 미뤄왔었다. 갑자기 귀임이 정해지고 코로나 사태로 이 모든 기회를 잃어버렸다. 여러분이 해외출장의 기회가 있다면 바쁜 일정을 잘 조절해서 최대한 현지의 많은 장소를 방문해서 경험을 하시는 것을 추천한다.

Episode 57. 원대한 꿈 1,000억 도전, 멜버른을 향해

나의 예감은 그대로 적중했다. KK는 니키의 마케팅 경험이

부족하다는 이유로 다른 지원자를 채용하라고 얘기했다. 다른 지원자들은 경험이 있지만 열정과 인내심이 부족해서 채용 후 브랜드를 쉽게 떠나게 될 것이라 설명했고 한참을 설득한 후에 그가 내린 결론은 마케팅 팀장이 다시 한번 화상으로 면접을 보는 것이었다. 나머지 후보인 사이먼과 섬머는 내 결정대로 최종 채용이 확정되었다. 급하게 에이전시와 연락하여 마케팅 팀장인 에슐리와 최종면접 일정을 확정했다. 마케팅 팀장에게는 니키에 대해 자세히 설명했고, 그녀는 최대한 긍정적으로 면접을 진행해 보겠다고 하였다. 면접이 완료되었고 마케팅 팀장은 긍정적으로 니키를 KK에게 보고하였다. 이로써 3명의 호주법인 직원이 채용되었고 나머지 영업과 전략 업무를 담당할 직원은 매장 오픈을 준비하면서 천천히 채용하기로 최종 결정하였다.

새로운 국가에 진출할 때 우리는 'Go to Market'이라는 내용으로 국가 총괄 주재원이 발표를 준비했다. 국가에 대한 시장조사를 토대로 중장기 전략 계획을 설계해서 대표와 임원진들에게 발표하는 자리였다. 나는 터무니없어 보일지 몰라도 1,000억 도전에 원대한 꿈을 발표했고, 멜버른과 시드니를 중심으로 매장을 확대할 계획을 설명하였다. 미국과 캐나다에서 이미 오픈한 오프라인 매장은 우리가 예상한 매출에 크게 못 미쳤고, 호주도 웨스턴 국가의 하나라 평가하여 매출에 대한 기대가 그리 크지 않았다. 오히려 동시에 진출하는 일본에 대한 기대가 컸기 때문에 호주에 대한 관심은 미미하였다.

출국의 날이 점점 다가오고 있었다. 비자를 담당하는 에이전시는 임시워킹 비자를 준비하고 있었고 비자가 나오게 되면 비행기를 예약하고 바로 출국할 예정이었다. 몇 일 후 에이전시를 통해 비자가 발급되었다는 소식을 듣고 비행기를 예약하고 시드니를 거쳐 멜버른에 마침내 도착하였다. 부동산 계약을 하기전에는 불편하더라도 호텔에서 장기 투숙을 할 수 밖에 없었다.

멜버른의 하늘 색깔은 한국에서 보던 하늘색이 아닌 더 파랗고 높은 하늘이었다. 공항을 나와 숙소에 체크인을 하고 호텔 주변을 둘러보았다. 필요한 물품과 음료를 산 후 근처에 한국

식당이 보이는 곳으로 향했다. 그곳에는 사이먼이 기다리고 있었다. 출국 전 사이먼에게 미리 연락을 했고 사이먼을 만나서 호주 현지에서 거주하면서 부동산계약, 차량구입, 자녀교육 등에 대해서 알아보고자 했던 것이다. 사이먼을 통해 많은 얘기를 들을 수 있었고 우리는 꽤 취할 만큼 많은 술을 마시고 있었다. 멜버른에 아는 사람은 사이먼이 전부였기에 그를 통해서 많은 도움을 받아야 했다. "사이먼! 앞으로 많이 도와줘요" 앞으로의 호주 생활이 기대가 되면서도 걱정이 많아지는 밤이 흘러 가고 있었다.

[episode 57 tip]
여러분이 회사에 입사하기 위해 면접을 준비하고 있다면 해주고 싶은 얘기가 있다. 요즘 새로운 신조어로 '면까몰'이라는 단어가 있는데 면접은 까보기 전에는 모른다 라는 뜻이다. 면접관의 성향이 필자와 같이 열정과 인성에 초점을 둘 수도 있지만 역량 적인 부분에 초점을 둔다면 면접관이 지원자를 평가하는 평가 요소가 다르며 그 비중 또한 많이 다를 것이다. 즉 면접에서도 운이 작용해야 한다. 여러분과 궁합이 맞는 회사가 분명 존재할 것이다. 저자도 이전에 많은 면접에서 떨어졌다. 결론은 10번 떨어지더라도 1번만 합격한다면 여러분은 그 회사에 채용될 것이다. 실패를 두려워하지 말고 'Just do it'하는 삶을 살아가실 바란다.

Episode 58. 영국 여왕과 같은 라인!
출장에서 만났던 법인장 라인의 외모는 흡사 영국 여왕과 비슷한 모습이다. 금발 머리에 단아한 외모는 영국 정통 귀족과 같은 모습이었으며 그녀의 유창한 영어솜씨와 언변은 모두를 반하게 하였다. 그녀는 나보다 4살 많았고 연하의 남편은 나와 동갑이었다. 정확히는 알 수 없으나 자녀없이 인생을 즐겁게 살고자 하는 신념을 가지고 있었던 것 같다. 사무실에 출근해서 그녀에게 앞으로 호주에서 진행하는 브랜드 전략에 대해서 공유하였다. 그녀가 법인장이기는 하였지만 브랜드는 내가 총괄 책임을 맡기 때문에 그녀가 어떤 의사결정의 주제가 될 수 없었다. 브랜드와 관련된 중요한 의사결정은 내가 제안한 내용에 대해서 한국본사에서 의사 결정이 이루어졌고, 그녀는 회사 내 여러 다른 브랜드가 호주에 런칭했을 때, 그 모든 브랜드들에 대해 관리해야 하는 것이었다. 관리 관점에서 문제가 있었던 것은 우리는 아세안 국가에 속했기 때문에 싱가폴 본부와 서울 본사가 두 곳에서 간섭을 받았다. 우리 브랜드는 서울 본사에서 의사결정이 이루어졌고 다른 브랜드는 싱가폴본부에서 의사결정이 이루어지고 있었다. 또한 아무리 우리 브랜드의 모든 의사 결정이 한국 브랜드 본사에서 이루어지지만, 싱가폴 본사의 눈치를 아예 보지 않을 수 없는 구조적 문제가 존재했다.

라인은 인성적으로 좋은 사람임에는 틀림없었지만, 그녀가 가진 개인적 업무능력은 법인장으로 기대 만큼이 아니었다. 실제적인 업무 경험이 많이 부족해 보였고, 의사결정이나 리더십도 뛰어나지 않았다. 모든 사람에게 좋은 사람이 되기 위한 스타일이었고, 마케팅적으로는 항상 똑 같은 애기만을 반복되었다. 하지만 본사에서 라인을 바라보는 시선은 달랐다. 그녀를 뽑은 임원들은 그녀의 업무방식을 끊임없이 신뢰했다. 그녀의 단아한 모습과 유창한 영어를 통해 본사 임원진들은 모두 바보가 되어 있었다. 이 당시에 이러한 상황을 통해 나는 많은 것을 느끼게 되었다. 우리의 내면의 역량도 중요하지만 밖으로 표현되는 것도 중요하며, 내적인 모습과 외적인 모습이 융합된 자기 브랜딩화가 되어야 한다는 것을 깊게 깨닫게 되었다. 라인과 처음에는 매우 친밀하게 지내었다. 그녀를 통해서 서양 문화에 대한 다양성을 이해하게 되었고, 호주에서 어떻게 조직을 이끌어 나가고 조직문화를 만들어 가는 것에 대해서도 도움을 받을 수 있었다. 하지만 그녀가 채용한 직원을 통해서 우리의 사이는 점점 금이 가기 시작하였다. 처음 친구로 만나 나중에 다시 적이 되었고 그리고 복귀를 앞 둔 마지막에는 다시 친구가 되었다. 회사에서 많은 일들을 겪으면서 아이러니 하게도 친구가 적이 될 수도 있고 적이 친구가 될 수도 있다는 사실을 깨닫게 되었다.

[episode 58 tip]
돼지우리 안에서도 여러분은 항상 본인에 대해서 고민해야 한다. 여러분을 대표할 수 있는 것이 무엇일까? 여러분이 처음 누군가를 만나면, 그들이 여러분을 어떠한 사람으로 인식할 것인가에 대해서 고민해야 한다. 필자는 회사 업무에만 집중하다 본인을 브랜딩화 하는 것에 집중하지 못했다. 물론 여러분은 내면의 실력을 먼저 향상 시켜야 한다. 하지만 눈으로 보여지는 것과 이미지는 무시할 수 없다는 것을 깨달어야 한다. 예를 들어 두송이 장미꽃이 놓여 있고 가격은 500원으로 동일하다. 한송이는 아주 아름답게 포장이 되어 있고 다른 한송이는 순수한 꽃이다. 물론 사람에 따라서 순수한 꽃을 더 선호할 수도 있겠지만 대부분의 고객은 예쁘게 포장된 장미꽃을 구매할 것이다. 여러분의 내공을 쌓음과 동시에 사회적인 활동, 외부 경력, 개인의 이미지 등의 외부에서 풍겨내는 아우라를 보여주는 것도 매우 중요할 것이다.

Episode 59. 비자없이 이 모든 것을 어떡하지!
임시 비자로 호텔에서 거주해야 했기 때문에 가장 시급한 것은 거주지의 계약이었다. 무엇보다 중국에 있는 가족들이 이사를 오기 위해서는 주소지를 미리 이사업체에 알려줘야 했다. 호주에는 '도메인' 이라는 부동산 앱이 있어서 거주하고자 하는 위치와 월세 금액을 입력하면 조건에 맞는 부동산 물건을 볼 수 있었다. 가족들이 지낼 수 있는 안전한 지역 3-4개를 후보로 확정하고 부동산을 통해 예약한 인스펙션 날짜에 집을 방문하였다. 부동산과 약속한 인스펙션에 참여했고 나는 깜짝 놀라게 되었다. 인스펙션 할 수 있는 하우스에 약 20명 이상의 예비 임차인들이 와 있었고 집주인은 이들의 회사와 세금 등을 평가해서 제일 괜찮은 임차인과 계약하는 것이 통상적 절차였다. 외국인 신분으로 단기비자를 가지고 있고 직전 년도 호주에서 급여수입이 전혀 없었기 때문에 집을 계약하는 것이 쉽지 않아 보였다. 주말에도 계속해서 인스펙션을 했고 마음의 드는 집을 발견하고 월세 계약 의향서를 신청하고 기다리기를 반복했다. 연락이 없어 부동산에 물어보니 이미 다른 사람과 계약이 완료되었던 것이다. 몇 주간을 주말마다 계속해서 인스펙션을 하면서 쏙 마음에 드는 집을 발견했다. 와이프에게 동영상으로 내외부 모습을 보여주었고 와이프도 만족한 집이어서 임대 의향서를 신청하고 돌아왔다. 마침내 다음주에 계약을 하자고 연락이 온 것이었다. 임대 의향서를 작성하고 혹시나 하는 마음에 중국어로 쓰여진 중국 급여명세서와 회사 증명서, 그리고 라인에게 받은 추천서를 동봉하여 보내었던 것이 도움이 되었던 것이다. 임대인은 홍콩에 거주하는 중국인으로 우리회사와 브랜드에 대해 잘 알고 있었던 것이다. 무사히 집을 계약할 수 있어서 다행이었지만 그 외에도 할 일들이 너무 많았다. 호주는 기본 옷장을 제외한 가전제품들이 구비되지 않았기 때문에 TV, 냉장고, 세탁기 등의 주요 가전제품들을 구매해야 했다. 사이먼의 도움을 받아 대형 전자 상가를 방문했다. 사이먼은 대형 전자 상가에서 한꺼번에 여러 제품을 구매하면 가격 디스카운트의 혜택이 있다고 하였다. 사이먼은 정말 호주에서 나의 손과 발이 되어주었고 함께 운전면허증 발급을 받고 집의 인터넷 설치 신청도 도와주었다. 마지막으로 해야 할 두가지의 일이 남아 있었다. 가장 어려운 일은 우리 자녀들의 학교 입학이었다. 무작정 인근의 가장 가까운 초등학교에 가서 담당자를 만났다. 여행비자로 입국해서 학교를 다닐 수 있는지에 대해 물었고 담당자는 메일로 문의를 해야 한다고 담당자의 이메일 주소를 알려주었다. 호주는 모든 시스템이 메일로 진행된다는 사실을 이 때 깨달었다. 상세하게 메일을 작성했고 이에 대한 답변은 여행비자로 가능하나 외국인의 학비 규정을 적용해야 한다는 것이었다. 호주 커뮤니티와 사이먼을 통해 현지에서 알아본 정보로는 여행비자로 입학이 불가능할 것이라는 부정적인 답변이 대부분이었지만 여행비자로도 학교 입학이 가능했던 것이다. 바로 본사에 인사팀에 외국인 학비 규정으로 입학이 가능하다는 사실을 통보했고 기쁜 소식을 아내에게도 알렸다. 사실 외국인 학비 금액이 다른 국가 국제학교 비용의 3분의 1도 되지 않는 비용이라 인사팀에서도 큰 문제없이 허락한 것이었다. 거의 모든 생활의 준비가 끝났고 마지막으로 호주에서 이동에 꼭 필요한 차량을 구입하기로 하였다. 사이먼이 추천한

Demo 차량을 구매하기로 하였다. 고객에게 시승용으로 사용했고 5천킬로 이하의 차량을 저렴한 가격에 구매할 수 있었다. 조용한 성격의 사이먼은 보이는 성격과 다르게 가격 협상을 매우 잘 하였다. 그가 이전에 계약했던 믿을만한 딜러를 통해 가격을 먼저 선 제안했다. "옵션도 필요 없고 5천킬로 이하로 3만불로 찾아주세요" 사이먼은 일단 이렇게 얘기하고 돌아가게 되면 분명히 연락이 올 것이라고 알려주었다. 그가 말한 것처럼 다음날 딜러와 좋은 가격으로 계약을 할 수 있었다. 호주에서 걱정하던 모든 것들이 해결이 되었고 가족들이 호주에 도착하기 만을 나는 손꼽아 기다리고 있었다.

[episode 59 tip]
여러분이 직장에서 염려하는 대부분의 걱정은 현실이 되지 않는다. 필자는 돼지 우리 안에서 생활하면서 너무 많은 걱정과 근심으로 생활하였다. 뒤늦게 깨달은 사실은 상상속에 우려했던 걱정과 현실은 실제로 많이 일어나지 않았다. 여기서 여러분이 느껴야 할 것은 직장생활에서 쓸데없는 걱정은 버리고 무조건 도전하고 부딪혀보라고 말하고 싶다. 그 도전이 실패해도 여러분의 긴 인생에 아무런 영향을 끼칠 수 없다는 것을 꼭 명심했으면 좋겠다.

Episode 60. 나와 너무 똑 닮은 그녀 Margie!
본사에서 호주 진출을 위해 1호점과 2호점의 후보점을 미리 부동산 에이전시와 선점했고 현지에서 본 계약만을 남겨두고 있었다. 1호점은 멜버른에 도시 중심지에서 가장 유명한 쇼핑몰에 1층에 위치했고 항상 유동객이 넘쳐났다. 이 쇼핑몰 지하에는 도시 외곽에서 시티로 들어오는 최종 종착지 지하철 역이 있어서 출퇴근 시간을 비롯해 주말에도 유동객이 많은 멜버른 최고 쇼핑몰 중 하나였다. 2호점으로 예정되어 있던 쇼핑몰은 도시 외곽에 있었지만 호주에서 가장 큰 쇼핑몰이자 남반구에서도 가장 큰 쇼핑몰이었다. 쇼핑몰 내에서도 위치가 좋았기 때문에 우리는 1호점과 2호점에 큰 기대를 하고 있었다.
1호점과의 본 계약을 위해서는 많은 절차가 필요했다. 사이먼과 나는 계약에 필요한 서류를 챙기고 본사에 요청했던 서류들을 쇼핑몰과 만나서 협의하는 과정을 반복해야 했다. 쇼핑몰은 신규법인에 대해 믿을 수 없었는지 본사의 CEO 사인이 들어간 보증서류까지 요청했던 것이다. 이와 함께 은행 보증 보험도 진행해야 했는데 매출이 발생하지 않은 우리는 싱가폴 법인의 도움을 받아 겨우 보증 보험을 진행할 수 있었다. 우여곡절 끝에 1호점의 계약이 완료되었고 그랜드 오픈일도 최종 합의하게 되었다. 이제는 오픈일도 결정되어서 영업담당을 채용해야 하는 시점이 왔다. 법인장의 도움을 통해 의류와 시계 브랜드 영업 출신의 지원자를 소개 받게 되었다. 그녀의 첫인상은 썩 좋아 보이지 않았다. 마기는 영업에 대해서는 전문적인 지식과 경험이 있었지만, 인상과 말투가 무척이나 강해 보였다. 계속되는 질문을 통해 그녀를 알아보고자 했지만 많은 것을 알 수가 없었다. 처음으로 확신이 들지 않았다. 이후에도 여러 명의 지원자를 면접했으나 만족할 만한 직원을 구할 수가 없었다. 1호점의 오픈일이 다가오고 있었고 더 이상 지체할 시간이 없었다. 영업담당을 채용해야 매장에서 근무할 직원을 채용하고 기본적인 제품 교육을 할 수 있었다. '영업담당은 인상이 좀 강해야지' 채용의 정당성을 혼잣말로 중얼거리며 마기를 채용하기로 결정하였다. 몇 일 후 사무실에 출근한 그녀는 계약서에 사인을 했고 나는 본격적으로 향후 오픈 계획에 대해서 설명했다. 일주일 함께 근무를 하면서 느낀 그녀는 직원들을 관리하는 리더십과 영업에 특화된 카리스마를 가지고 있었다. 외적으로는 강해 보여도 내적으로는 매우 여린 모습이었다. 브라이언의 여자 모습으로 착각할 정도로 그녀는 나와 너무 닮은 점이 많아 보였다. 마기는 내가 호주를 떠날 때에도 가장 슬퍼했고 지금도 그녀는 나를 영원한 라오반(상사)으로 인정해 주고 있다. 우리는 힘을 내어 1호점 오픈에 필요한 매장 직원 채용과 제품 교육을 차근차근 준비해 나가고 있었다.

[episode 60 tip]
저자는 어렸을 때부터 매우 민감한 성격을 가지고 있었다. 어디를 가든 사람들의 시선이 불편했고 사람들 시선에 띄는 것이

무척이나 싫었다. 학교에서 선생님이 호명하거나 자기소개를 할 일이 있으면 몇일 전부터 밤잠을 설쳤다. 다른 사람보다 예민한 성격이어서 작은 일에도 민감하고 고민하고 걱정하며 두려움이 많았다. 여러분이 저와 같은 성격적 단점이 있다면 단점과 함께 장점도 존재한다는 사실을 인지해야 한다. 부모님이 원망 스러울 정도로 싫었던 성격적 단점이 요즘은 장점이 되어 예민한 성격은 미리 문제를 준비하고 해결한다. 약속시간에 절대 늦지 않고 예민한 성격으로 일을 빠르고 완벽하게 처리한다. 사람들을 만나면 그 사람의 패턴과 성향도 잘 파악하며 예민한 성격으로 더욱 발달한 예측 능력과 통찰력은 의사결정에 큰 도움을 주고 있다. 여러분도 돼지 우리 안에서 단점이 되는 성격을 장점으로 한 번 승화해 보기 바란다.

Episode 61. 웨스턴 1위, 멜버른 1호점

드디어 1호점의 오픈이 다가오고 있었다. 호주에서 처음 오픈하는 매장으로 많은 아시아계 고객들이 우리 브랜드의 오픈을 손꼽아 기다리고 있었다. 니키는 오래전부터 미디어 초청 행사를 준비했고, 1호점 매장에서 멀지 않은 곳에 브랜드를 상징하는 자연적인 이미지를 품은 행사장으로 그들을 초청했다. 언론에서도 한국 브랜드가 법인을 설립하고 직영으로 호주 시장에 진출하는 것에 대해 매우 큰 관심을 가지고 있었고 한국 대사관을 비롯해 현지 한인들도 많은 응원을 하고 있었다. 본사에서도 KK를 비롯한 글로벌 소속 직원들이 매장 진열과 오픈 행사를 돕기 위해 출장을 와 있었다. 출장 온 직원들 모두 최상의 매장 컨디션과 완료된 제품 진열을 보고 매우 놀라 있었다. 매장 진열이 이미 완료되어 출장 온 직원들은 오픈 행사에서 대기하는 고객들에게 샘플링을 위한 준비를 도와주었다.

나는 KK에게 다가가 살며시 얘기했다. “상무님! 내일 매출은 글로벌 기네스 매출을 달성할 겁니다. 두고 보세요” 그는 법인 직원들이 얼마나 많은 준비를 했는지 알았고, 완벽한 오픈 준비 모습에 아무런 대답없이 그냥 고개를 끄덕일 뿐이었다.

오픈 날 아침 7시에 매장에 도착하니 믿을 수 없는 광경이 눈앞에 펼쳐졌다. 쇼핑몰 내부에 더 이상 줄을 설 공간이 부족했고 외부까지 줄이 길게 늘어서 있었던 것이다. 많은 고객이 방문할 것을 대비해 마기는 포스 기계를 3대 준비하였다. 매장에서 계속해서 매출을 찍을 수 있도록 준비한 것이다. 초청된 메가 인플루언서와 함께 법인 직원들이 모여 오픈사진을 찍었다. 드디어 니키가 카운트하기 시작했다. "10,9,8,7,6…1 open"

고객들이 매장으로 들어갔고 KK가 다가와 애기했다. "브라이언! 여기 직원들을 어떻게 뽑은 거야" 연결판매를 하고 있는 매장의 매니저를 보고 그도 깜짝 놀란 것이다. 보통 신규오픈점에서 직원들이 할 수 있는 능력이 아닌 것이었다. 이 모든 것은 마기의 작품이었고 많은 고객들이 줄을 설 수 있었던 것은 모두 니키의 업무 작품이었다.

나는 중국에 있을 때도 많은 매장을 오픈 했지만 가족들을 초대하지는 않았다. 하지만 호주의 1호점은 꼭 우리 가족들도 지켜봐야 했다. KK에게 와이프를 소개하자 그가 애기했다. "브라이언이 일을 너무 잘해요" 그의 칭찬이 싫지 않았다. 매장은 쉴 틈도 없이 고객들이 입점하고 퇴점하기를 반복했다. 휴대폰을 통해 실시간으로 매출을 확인했고 이미 예상한 매출을 돌파하고 있었다. 10시가 되어 쇼핑몰이 문을 닫을 시간이 다가왔고 결국 글로벌 오픈 매장 1위 매출을 달성한 것이었다. 오늘 하루의 매출은 그저 의미일 뿐이다. 월매출이 중요했고 우리는 월매출에서도 웨스턴 1등 매출을 달성하게 되었다. 그렇게 1호점의 첫 오픈은 매우 성공적이었다. 본사에서 출장 온 직원들이 기다리고 있는 식당으로 매니저를 포함한 법인직원들을 데리고 갔다. 우리는 환호했고 KK는 나에게 다가와 애기했다. "따숑! 아니 브라이언! 팀장으로 곧 승진시킬 테니 기다려!" 그는 확신에 찬 목소리로 애기했다. 이 모든 것은 우리 법인 직원들이 준비하고 노력한 결과에 대한 보상이었다. 호주 1호점 대 성공에 축제의 밤은 깊어져 가고 있었다.

[episode 61 tip]

직장 업무에서 본인의 개인 역량도 중요하겠지만 업무의 성공은 팀워크가 잘 발휘되는 조직이다. 대표적으로 축구에서 개인의 기량도 중요하지만 팀이 전체적으로 조화로운 공격과 수

비를 한다면 개인 역량이 아무리 뛰어난 팀을 만나도 승리할 수 있다. 이와 마찬가지로 여러분의 개인역량도 중요하겠지만 팀워크 중요성을 인식하고 이를 위해 노력하면 그 조직에서 여러분의 능력도 힘을 더 발휘할 것이고 팀과 개인 모두의 승리를 이끌 수 있을 것이다.

Episode 62. 갑의 만행 2호점의 딜레이

1호점의 성공적인 오픈은 호주시장에서 우리 브랜드의 가능성을 보여주었고 호주 전역의 쇼핑몰에서 매장 오픈 문의가 지속적으로 오기 시작했다. 섬머는 인테리어 시공도 하였지만 협상력이 뛰어나고 두뇌회전이 매우 좋아서 점포개발 업무까지 겸직을 하도록 하였다. 점포개발 업무가 호주시장에서 본인의 인적 네트워크를 넓힐 수 있는 기회라고 생각했기 때문에 더 열심히 업무에 임하고 있었다.

1호점의 성공적인 오픈을 뒤로 하고 2호점의 계약업무를 진행하고 있었다. 외근 후 섬머는 다급하게 전화를 받으면서 사무실로 들어오고 있었다. 2호점 쇼핑몰에서 전화가 온 것이었고 쇼핑몰의 내부적인 MD개편으로 우리가 입점할 매장에서 이동하기로 한 매장이 3달 더 운영을 해야 한다는 것이었다. 2호점은 우리에게 매장 중요한 매장이었다. 남반구에서 가장 큰 쇼핑몰에 오픈하는 의미와 내부의 위치도 최적의 장소였기 때문에 매장 오픈을 연기할 수 없었다. 우리는 쇼핑몰에 급하게 연락해서 미팅을 준비했고, 나는 장문의 편지를 써서 그곳으로 갔다. 임원급의 상무를 만나면서 장문의 편지를 읽으며 오픈을 연기하지 않도록 간곡히 부탁하였다. 지금 와서 내가 왜 이렇게 까지 열심히 했는지 깊게 생각해보면, 그 당시 진정으로 회사와 브랜드를 사랑했고 내 회사를 운영하는 주인정신으로 일했던 것 같다. 나의 간곡한 부탁과 설득은 거절 당했고, 결국은 3개월 후로 오픈이 연기되는 사태가 발생하였다. 본사에 2호점 오픈 연기에 대한 상황을 자세히 설명했고 대표와 KK의 반응은 생각보다 담담했다.

나는 다짐했다. 오늘의 치욕을 꼭 갚고 말 것이다. 호주에서 우리 브랜드를 동종업계 최고로 만들 것이고, 마켓에서 파워

있는 브랜드로 만들 것이다. 섬머와 나는 우리의 새로운 2호점을 찾기 위해서 동분서주하기 시작하였다. 1호점 오픈을 통해서 호주 내에서 많은 점포개발 담당들과 친분을 쌓기 시작한 것이다. 2호점에서 가까운 곳에 중국인들이 밀집해 있고, 부자들이 많이 거주하는 지역 쇼핑몰과 컨택하였고 최고의 입지에 후보점을 찾게 되었다. 본사에 후보점을 파악할 수 있는 상세 자료를 보내고 직접 화상미팅을 통해서 인근지역과 쇼핑몰 그리고 후보점에 대해서 자세히 설명하였다. 본사 검토 후 KK와 대표의 최종 컨펌을 받고 계약을 진행하게 되었다. 우리는 새로운 쇼핑몰에 2호점을 입점하게 되었고 원래 2호점은 3호점으로 입점을 하게 된 것이었다. 부동산 에이전시 수수료 없이 진행한 첫번째 매장이었고 이 후 우리는 모든 쇼핑몰과 직접 컨택해서 계약을 진행하게 된다. 새로운 2호점이 오픈을 기다리고 있었다.

[episode 62 tip]

여러분이 직장생활을 할 때 해결책이 없어 길이 없다고 생각해도 반드시 길은 있기 마련이다. 우리가 생각했던 대로 인생이 흘러간다면 얼마나 재미없지 않겠는가? 우리가 계획하고 예상했던 대로 돼지우리의 일상은 쉽게 흘러가지 않을 것이다. 여러분이 계획한 일에서 일어나지 않을 것 같은 불행이 일어나기도 하고, 예측하지 못했던 승리와 행복이 여러분의 미래에 일어날 것이다. 사고를 피하기 위해 아무리 방어 운전을 하더라도 뒤에서 갑자기 달려드는 차를 여러분이 피할 방법은 없다. 피할 수 없을 때는 고통이 회복될 때까지 기다려야 할 줄도 알아야 하고, 마음과 몸의 병이 회복될 때까지 참고 기다려야 할 때도 있다는 것을 알아야 한다. 일어날 수 밖에 없는 현실이기 때문에 여러분의 잘못이 아니라는 것을 알기 바란다.

## Episode 63. 빅브라더 이안, 빅시스터 수지

섬머는 호주의 거의 모든 쇼핑몰과 컨택을 하며 쇼핑몰 담당자들과 친분을 쌓고 있었다. 우리는 호주에서 가장 많은 쇼핑몰을 보유하고 있는 W몰의 MD총괄 책임자인 이안을 만나기 위해서 시드니로 향했다. 1호점 오픈에 초대받았던 이안과는 여러 번 인사를 나눈 사이였다. 시드니의 명동거리인 피츠스트리트 앞에 위치한 쇼핑몰에서 그를 만났고 우리는 호주에서의 매장 확대 계획을 자세히 설명하였다. 이안은 말레이시아계 중국인이었지만 호주에서 태어나 중국어나 말레이시아 언어를 전혀 구사하지 못했다. 그의 와이프 스테파니는 한국의 식품사인 N사와 비즈니스 관계를 맺고 있어서 한국문화와 음식에 대해서도 매우 잘 알고 있었다. 미팅을 끝내고 이안과 함께 한국식당에서 식사를 하며 많은 이야기를 나눌 수 있었다. 사람들과 어울리는 것을 좋아하고 소맥을 좋아한 그는 우리와 잘 어울릴 수 있는 모든 조건을 갖추고 있었다. 비즈니스에서는 그와 좋은 관계를 가지면 호주 전역에 쇼핑몰을 보유한 W몰에 아주 쉽게 입점할 수 있는 기회였다. 나는 그에게 다가가 얘기했다. “이안! 앞으로 당신을 호주 빅브라더로 부르겠어” 취기가 오른 이안은 대답했다. ‘오케이 마이 브라더’. 우리는 서로 윈윈할 수 있는 좋은 관계를 맺게 되었다.

멜버른에서 우리는 또 한사람의 중요한 인연을 알게 되었다. 수지는 쇼핑몰 담당자도 아니고 프리랜서로 호주에 다양한 산업에 영향력이 있었다. 멜버른에서 만나는 모든 사람들이 그녀를 알고 있었다. 그녀는 우리의 브랜드에 많은 관심을 가지고 있었고 우리 브랜드를 다양한 쇼핑몰에 소개해 주었다. 처음에는 그녀가 소개해 주는 것이 수수료와 본인 이익을 위한 것이 아닌가 의심하지 않을 수 없었다. 하지만 그녀는 이미 부유한 사람이었고 호주 산업전반에서 영향력을 행사하는 것이 그녀의 중요 목적이었다. 그녀를 자주 만나게 되면서 자연스러운 허그와 함께 빅시스터로 부르기 시작했다. 내가 빅시스터로 부르는 것을 그녀는 매우 좋아했다. 그녀에게 우리 제품을 일부 선물한 적은 있지만 금전적으로 우리에게 무엇인가를 요구하지 않았다. 물론 내가 모르는 어떠한 쇼핑몰과의 이익관계가 있었을지 모르나 우리는 그녀의 소개로 멜버른 서쪽에서 가장 유명한 매장에 5호점을 오픈 할 수 있었다. 시드니에는 빅브라더 이안이 있었고 멜버른에는 빅시스터 수지가 있었다. 이제는 우리가 원하면 호주 전역에 있는 쇼핑몰에 입점할 수 있었다. 본사에서는 부동산 에이전시를 통해 엄청난 수수료를 통해 쇼핑몰 계약을 진행했지만 이제 부동산 에이전시를 이용할 필요가 없었다. 우리가 직접 쇼핑몰과 계약을 진행했고 회사에 많은 이익을 줄 수 있었다. 중국에서도 꽌시가 중요했지만 호주에도 인적 네트워크가 매우 중요하였다. 전세계 어디에서 비즈니스를 하든 가장 중요한 것은 사람과의 관계라는 사실을 깊게 깨닫게 되었다. 우리는 호주에서 뜨고 있는 브랜드로 인식되기 시작했고, 이안과 수지를 통해서 더 많은 인적 네트워크를 확장하고 있었다.

[episode 63 tip]
필자가 HRD에 관심을 갖기 시작한 것은 교육을 통한 조직 구성원의 발전가능성에 대해 집중적으로 공부해 보고 싶었다. 여러분이 회사라는 거대한 조직에서 팀의 한 구성원이 되고, 많은 성과를 이룰 수 있는 것은 개인의 역량이 모여 조직의 역량이 되는 것이다. 이러한 역량을 개발하기 위해서는 교육이 반드시 필요하다. 많은 회사들이 구성원의 업무와 관련된 역량 개발에 집중하고 있지만, 세부적인 방향성에는 의문점이 든다. 업무와 관련된 교육도 필요하겠지만, 직원들은 내부에서 보상과 동기부여를 느낄 수 있게 하는 교육이 더 중요하다. 이러한 교육과 함께 실질적인 보상과 동기부여의 프로세스도 마련되어야 한다. 왜 우리는 돼지 우리 속에서 탈출하지 못하는가? 이유는 간단하다. 마약과 같은 급여, 인센티브, 승진, 경제적 안정성과 사회적 위치 때문이다. 필자의 책을 읽고 많은 기업들이 직원들의 동기부여를 위한 교육과 프로세스에 집중했으면 좋겠다.

Episode 64. 다양성에 대한 이해
호주에서 4년간 근무하면서 문화적으로 힘들었던 것은 쇼핑몰의 여성 관계자들과 만나서 처음 인사를 하는 것이었다. 호주는 영국의 영향을 많이 받아서 친한 사이의 남여가 만나면 볼인사를 반드시 해야 했다. 대부분 볼에 직접 뽀뽀는 하지 않지만 얼굴을 마주 되어야 하는 것이 여간 불편한 일이 아니었다. 이러한 인사를 하지 않으면, 그들은 나와 친한 사이가 아니라고 오해할 것이기 때문에 어색하더라도 꼭 이러한 그들의 인사문화를 따라야 했다. 나에게는 불편한 일이 될 수 있지만, 그들의 문화를 존중하고 이해하게 되었다.

호주에서 비즈니스 상으로 미팅을 하게 되면, 반드시 워밍업이 필요했다. 날씨에 대해서 얘기를 하거나 일상적인 얘기를 꼭 먼저해야 했다. 법인장인 라인은 중요한 협상이 있을 때도 30분이 넘는 시간을 분위기를 풀기 위해서 농담을 많이 하곤 했다. 하지만 그들과의 협상에서 유리한 결과를 얻어야 하고, 때로는 에이전시의 문제점을 지적해야 했는데 필자의 사고방식으로는 이러한 '미팅 워밍업' 시작의 방식이 큰 도움이 되지 못했다. 물론 처음 만나게 되는 미팅이거나 우리 입장에서 부정적인 얘기를 할 필요가 없는 미팅이라면 이러한 방식이 매우 유용했을 것이다.

호주에서 직원들의 이직율은 매우 높았고 대부분 직원이 파트타임으로 일하는 것을 더 선호했다. 시간당 임금이 전세계에서 가장 높기 때문이며 이민자가 줄어들면서 직원의 채용이 더 어려워졌다. 예를 들어 별다방에서 파트타임으로 근무해도 호주에서 생활하기에는 불편함이 없다. 또한 워크앤라이프 밸런스를 가장 중요하게 생각하는 호주 사람들에게 영원한 직장은 없던 것이다. 다행히 우리 사무실 브랜드 직원들은 내가 한국으로 복귀할 때까지 그 누구도 이직하지 않았다.

호주에 물가는 너무나 높았다. 점심을 간단하게 먹어도 2만원 이상이었고 한국식당에서 소주라도 마시는 날이면 많은 비용을 지불해야 했다. 물론 요즘은 한국의 물가가 올라 호주의 물가가 더 높아 보이지 않는다. 호주는 코로나 이후 인건비가 더 높아져 모든 직원들의 연봉이 증가했지만 이에 반해 한국은 그렇지 않기 때문에, 현재 체감하는 한국의 물가가 호주보다 더 높아 보인다.

호주에서 무척이나 저렴한 것이 있는데 골프를 치기 위해 필드를 나가게 되면 20$ 정도로 18홀 라운딩을 할 수 있다. 물론 캐디는 없기 때문에 직접 걸어서 이동을 해야 한다. 또 저렴한 것은 마트에서 우유와 소고기는 정말 싸다. 호주에서 소고기를 원 없이 먹었기 때문에 한국에 복귀해서 삼겹살이 요즘은 더 맛있게 느껴진다.

호주에는 한국과 같은 로또가 있는데 보통 당첨금은 100억이 넘는다. 대신에 숫자 6개가 아니라 7개가 맞아야 한다. 호주 도시와 외곽에는 작은 규모의 슬롯머신 도박이 있고 온라인을 통해서도 경마를 비롯해서 다양한 종류의 경주를 베팅할 수 있기 때문에 도박에 빠지지 않도록 조심해야 한다. 아마도 이러한 도박이 활성화 되어있는 것이 무료한 생활 때문으로 보인다.

호주의 생활은 내가 원하고 좋아하는 삶이 아니었다. 쇼핑몰은 주말을 제외하고 5시에 문을 닫고 대부분의 식당들도 9시 전에 문을 닫는다. 이러한 이유로 보통은 지인들을 집으로 초대해서 저녁식사를 하는 것이 문화의 일부였다. 음식을 준비해야 하는 불편함이 있었지만 정감가는 초대 문화는 본받을 만한 일이다. 호주에서 다양한 인종과 문화를 접하면서 오픈 마인드를 가지게 되었고 이러한 경험이 현재의 삶에도 많은 영향을 미치고 있다.

[episode 64 tip]

여러분의 회사가 글로벌 회사라면 다양한 인종의 직원들을 만나고 교류하게 될 것이다. 다양한 인종과 문화를 가진 동료들을 만나게 되면 여러분은 오픈마인드를 가지게 될 것이고 서로를 존중하고 배려하는 문화를 알게 될 것이다. 이러한 경험들은 여러분이 돼지 우리 밖을 나와서 다양한 사람들과 교류할 때 큰 도움이 될 것이다. 배려하는 마음과 자세가 몸에 베어있으면 항상 자신만의 아우라를 타인에게 보여 줄 수 있다. 사람의 생각과 의견은 다양하기 때문에 존중하고 배려하는 열린 마음을 가진다면 회사 생활에서도 어려움을 쉽게 극복할 수 있을 것이다.

## Episode 65. 마기, 니키, 섬머 제발 그만!

우리 조직에서는 하나의 문제가 있었는데 직원들 본인의 색깔과 개성이 너무 강했다. 사이먼을 제외하고 서로 강한 성격과 개성이 있었기에 서로 충돌하는 일들이 많았다. 1호점에 다녀온 나는 사무실의 공기가 심상치 않음을 직감했고 니키가 와서 면담을 요청했다. 니키와 섬머의 갈등이었다. 섬머는 중학교 때까지 중국에서 자라왔고, 아시아계의 사고 방식이 여전히 있었고 가끔은 보수적이고 직접적으로 동료를 비난하는 일들이 있었다. 이와 반대로 니키는 러시아계로 본인의 주장이 너무 강하고 다른 사람의 의견을 종종 무시하는 경향이 있었다. 마기는 이러한 둘 사이에서 이러지도 저러지도 못하는 상태였다. 호주에서 직원들의 갈등을 해결하기 위해서 나는 매우 고민이 많았고 이로 인해 스트레스도 많이 받았다. 이 당시 깨달은 것이 있는데 비즈니스를 할 때 가장 힘든 것은 조직의 사람관리라는 사실이다. 그리고 이러한 사람들을 조율해서 최적의 팀워크를 만들게 되면 회사가 성공한다는 사실을 빨리 알게 되었다.

니키는 강한 어조로 애기했다. "브라이언! 섬머와 도저히 같이 일 못하겠어요" 3호점 오픈을 앞두고 마케팅 프로모션에 대해 섬머가 다른 의견을 제시하면서 갈등이 생긴 것이었다. 애기를 들어보니 섬머의 의견이 일리가 있어 보였다. 마케팅 프로모션이 매출에 큰 도움이 되지 않아 보였다. 문제의 발단은 섬머가 너무 비난하는 형태의 말을 했고 이를 참던 니키도 화가 난 모양새였다. 나는 니키에게 다른 사람의 의견도 존중해야 한다는 것을 애기했고 섬머의 의견 전달 방식에는 문제가 있었기에 그 부분은 내가 조율하기로 했다.

보통 직원들과의 갈등이 있을 때 나는 같이 1대 1로 식사를 했다. 퇴근 시간이 다가왔고 조용히 섬머를 불러 우리가 자주 가는 중국식당으로 향했다. 백주와 칭다오 맥주를 주문하고 섬머에게 살며시 애기했다. "섬머! 너의 의견은 내가 생각해도 좋은 의견이고 나도 너의 의견에 동의해. 하지만 좋은 의견을 어떻게 잘 표현하는 것도 중요한 일이야" 다른 사람에게 상처를 주는 형태의 표현방식을 고쳐달라고 애기했고 섬머도 나의 애기를 귀담아듣고 있었다. 이 후에는 섬머와 마기 사이에도 이슈가 발생했고 마기와 니키 사이에도 끊임없이 사소한 문제들이 발생했다.

마기는 나에게 매우 충성스러운 직원이었지만 가끔씩 나에 대해 서운해 하곤 했다. 가끔 그녀에게 알려지지 않는 마케팅 업무가 있거나 하면 사실이 아님에도 스스로 생각해서 본인이 업무에서 배척되고 있다고 판단했다. 내가 그녀를 불러서 달래지 않으면 몇 일간 아이처럼 토라져 있었다. 최고의 팀을 구성했다고 생각했지만 독특한 개성의 직원들을 관리하기 너무 힘들었다. 그들은 내가 본사로부터 얼마나 많은 스트레스를 받는지 잘 모르고 있었기에 나는 본사와 호주 조직의 모든 스트레스를 이겨내야 했다. 회사에서 리더가 가장 어려운 일이 무엇인가 질문한다면 나는 바로 답할 수 있다. 그것은 직원들을 잘 관리하고 조율하는 것이다.

[episode 65 tip]

여러분이 회사에서 리더의 위치에 있을 때, 가장 어려운 것 중 하나는 조직 구성원들 사이에 갈등을 해결하는 것이다. 어느 조직에나 크거나 작은 갈등이 존재한다. 여러분의 구성원들은 자라온 환경과 학력, 경험이 다르기 때문에 각자의 개성과 의견이 다를 수 밖에 없다. 그리고 조직 내에서는 분명 사이좋게 지내는 직원들과 그렇지 못한 직원들이 존재한다. 우리는 신이 아니기 때문에 이러한 문제를 완전히 해결할 수 없다. 하지만 리더가 해야 할 일이 한가지 있다. 직원들의 어려움을 들어야 하고 해결책을 찾기 위해 노력해야 한다. 리더는 최선을 다해서 경청하고 갈등 해결을 위해 적극적으로 노력하면 된다. 그것이 해결될 수 있을지 없을지는 신만이 알 것이다.

## Episode 66. 시드니 진출 그리고 브리즈번

멜버른에서 이미 3개점을 오픈했고 4호점과 6호점은 시드니 중심부에 위치한 고건물 지하와 시드니의 명동 '피츠스트리트' 가장 좋은 위치에 계약을 완료하였다. 4호점이자 시드니 1호점은 관광객들이 꼭 방문하는 도심의 오래된 빌딩 지하에 위치했고 시드니의 다운타운 역과 연결된 매장은 출퇴근하는 시민들로 발 디딜 틈이 없었다.

니키가 잘 준비한 오픈 프로모션 행사로 아침부터 많은 고객들이 줄을 서서 있었다. 1호점보다 더 많은 대기 고객은 외부까지 이어져 있었고 나는 비디오 동영상으로 줄을 서서 있는 고객들의 모습을 찍어 한국본부의 시드니 1호점의 성공적인 런칭을 알렸다.

시드니의 2호점이자 피츠스트리트 매장은 플래그십으로 오픈하기로 했고 외부의 파사드와 내부공간은 일반 매장과 다른 컨셉으로 진행하였다. 피츠스트리트는 브랜드 인지도를 알리기 위한 매장으로 월세 금액이 어마 무시했다. 본사에서도 엄청난 월세 비용이 부담스러웠는지 매장 오픈을 해야 할지 고민했지만 호주 매장들의 월 매출이 다른 웨스턴 국가에 비해 매우 높은 수준이었고 마케팅 비용을 줄이고 플래그십 매장을 활용해서 마케팅에 집중하기 위해 오픈을 결정하였다.

멜번과 시드니 진출에 이어서 브리즈번 진출도 결정하였다. 브리즈번 시내에서 가장 유명한 매장에 입점하기로 했다. 여러 도시를 진출하게 되면 문제는 물류비용의 증가였다. 물류업체와 비용협상을 하였고 시드니와 브리즈번의 물류비는 동일하게 진행하였다. 3개 도시에 거점 매장을 테스트하고 매장 매출에 따라 매장의 입점속도를 높이는 게 우리의 전략이었다.

대부분의 매장이 이안과 협의해서 입점한 W쇼핑몰이었다. 이안은 더 많은 매장을 후보점으로 보여주었지만 TOP 쇼핑몰이 아닌 몰은 입점하지 않았다. 브랜드 인지도를 더 높여야 했다. 우리 브랜드는 아시안 고객에게는 매우 유명한 브랜드였지만, 호주의 로컬고객에게는 아직 먼 나라 한국에서 온 알 수 없는 브랜드였다.

니키는 똑똑한 친구였지만 항상 정형화된 마케팅 전략을 구사하였다. 우리는 특별한 무엇인가가 필요했다. 니키는 본사에서 진행하는 전형적인 마케팅 전략에 치중하고 있었고 나는 평범한 마케팅 전략으로는 호주 고객에게 어필할 수 없다고 생각했다. 우리는 항상 이러한 이슈로 논쟁하였고 니키의 고집을 쉽게 꺾을 수 없었다. 로컬 고객에게 우리의 제품과 브랜드를 알리기 위한 신선함과 창조성이 필요했지만 결국에는 이러한 활동을 제대로 하지 못했다. 내가 그녀에게 제시한 것은 고객들이 참여해서 만드는 CF활동과 대학생들이 직접 참여해서 만드는 동영상 브이로그였다. 우리에게 참신한 창의성이 없다면 우리 브랜드를 사랑하는 고객들의 창의성을 빌리면 된다고 생각했다. 그리고 로컬 고객들은 진정성 있는 것을 좋아하기 때문에 실제 고객이 직접 우리의 제품을 사용한 라이프 브이로그 형식을 제안하였다. 마지막 내가 본사로 복귀할 때까지 그녀는 이러한 활동을 하지 않았고 아마도 지금은 그녀의 실수를 깨닫고 있지 않을까 싶다.

[episode 66 tip]
여러분이 회사에서 마케팅 담당자라면 반드시 명심해야 할 것이 있다. 마케팅이 무엇을 위한 것인가에 대해서 명확히 생각해 봐야 할 필요가 있다. 마케팅은 영업활동에 도움이 되어 고객이 우리의 제품을 구매하게 위한 일련의 과정이다. 하지만 일부의 마케팅 담당자들은 새로운 시도를 하려고 하지 않는다. 고객의 구매 행동과 마케팅에 대한 도구들이 변하고 있는데 기존의 마케팅 전략을 그대로 고수하는 경향이 있다. 세상이 온라인 세상으로 변하고 있었는데 우리 브랜드는 이를 알지 못하고 오프라인 매장 확대 전략을 진행했던 것도 하나의 전략적 실수이다. 변화하는 고객에 맞게 우리의 전략과 전술도 수정되어야 한다. 변화와 혁신이 없이는 여러분의 회사와 조직의 미래는 없다는 것을 명심하기 바란다.

Episode 67. 돼지우리에서 마음이 완전히 떠나다
저자는 호주에서 브랜드 총괄 담당으로 General Manager의 직책을 맡고 있었지만 한국에서의 직급은 부장이었다. KK는 팀장으로 승진시키겠다는 약속을 하고 본사로 돌아갔고 로버트와 내가 이번에 팀장 승진 후보자로 올라 있었다. 브랜드에서는 팀장 승진을 확신했지만 그룹사 임원의 승인이 필요했다. 주재원이 팀장이 되면 국가의 급여 부담이 더 높아지기 때문에 주재원의 팀장 승진은 자주 추진하지 않았다. 이번이 사실상 마지막 기회인 것이다. 본사 인사팀의 친한 후배를 통해서 팀장 후보로 정해졌고 그룹사의 승인 만을 기다리고 있는 상황을 알게 되었다. 다운타운에 위치한 사무실에서 업무를 보던 중 HR 팀장으로부터 급하게 전화 한통이 걸려왔다. "브라이언! 이번에는 힘들게 되었네요. 그룹사에서 호주법인은 아직 법인 규모가

크지 않아서 팀장 승인이 거절되었어요" 로버트는 법인의 매출 규모가 큰 대만에 있어서 팀장으로 승진 되었고, 호주는 법인의 매출 규모가 작기 때문에 팀장으로 승진이 불가하다는 것이었다. HR 팀장의 말에 의하면 나의 개인역량이나 회사에 기여한 모든 것이 뛰어나지만 법인이 소규모라는 이유로 팀장이 거부되었다는 것이다. 나는 말도 안 되는 소리에 화가 나기 시작했다. "그럼 기존 법인이 있는 대만을 가서 내가 근무했지? 왜 호주에 와서 신생법인을 만들어가며 어렵게 비즈니스를 한 것인가?" 참을 수 없는 분노가 몰려왔고 KK에게 전화를 하여 불합리한 결과에 대해서 불평을 털어 놓았다. 지금까지의 나의 모든 노력이 허망해 보였다. 중국에서 브랜드 비즈니스의 발전을 위해서 묵묵히 일해 왔고 어려운 시장인 호주에서도 법인을 설립하고 빠른 속도로 매장 확대를 진행했다. 팀장을 상무로 승진되도록 도왔고 상무가 대표가 되도록 일조했지만 정작 나는 승진하지 못한 것이다. 본인들의 승진은 중요했지만 부하직원들의 승진은 중요하지 않은 것이었다. 직원들이 회사에서 열심히 일하는 이유가 무엇인가? 승진과 보상이다. 그룹장이 부정적 결정을 내렸더라도 브랜드에서 강력히 의견을 전달 할 수 있었지만 하지 않은 것이라 생각되었다. 허망한 마음에 사이먼을 불러 다운타운 근처에 한인 식당으로 향했다. 사이먼은 위로의 말을 전했지만 전혀 힘이 나지 않았다. 회사에 대해서 실망한 마음과 앞으로의 방향이 보이지 않았다. 회사를 위해 열심히 일한 결과가 고작 이것인가? KK를 원망하고 회사를 원망하게 되었다. 앞으로의 회사 업무의 열정도 사라질 것이다. 돼지 우리 속에서 열심히 일해도 알아주지 않을 뿐이고, 내부의 파워게임과 정치싸움에서 힘없는 우리는 그냥 희생양이 될 뿐이었다. 집으로 돌아오는 길에 곰곰이 생각했다. 앞으로는 나를 위해서 살아가야 한다. 회사는 그저 회사일 뿐이다. 인생 목표의 방향성이 전환되기 시작하고 있었다. 브랜드에 충성하고 사랑했던 나의 마음이 사라지고 있었다. 회사와 이별을 천천히 준비하기 시작한 것이었다. 혼잣말로 중얼거리기 시작했다. '절이 싫으면 중이 절을 떠나야 한다'

[episode 67 tip]

여러분이 속한 조직에도 분명이 정치적 싸움과 디비전 사이의 파워게임이 존재 할 것이다. 대부분의 회사 조직 내부에서 분명히 눈에 보이지 않는 권력 경쟁이 있을 수 밖에 없다. 그러한 파워게임은 회사 내부의 손실을 줄 수 밖에 없으며 개인과 조직에 좋지 않은 영향을 주게 된다. 디비전과 디비전 사이와 팀과 팀 사이에 그리고 리더와 리더사이에서 무수히 많은 경쟁이 있을 것이다. 하지만 인간의 본성은 개인의 욕구와 본인이 속한 조직의 이익을 추구하기 때문에 이러한 내부적 정치싸움을 완전히 막을 수 없을 것이다. 여러분이 이러한 정치싸움에 최대한 휘말리지 말아야 하며 희생양이 되지 않기를 바란다. 물론 이러한 상황을 피하고자 해서 피할 수는 없기 때문에 단지 여러분에게 필자와 다른 행운이 따르길 바랄 뿐이다.

Episode 68. 코로나의 급습

2019년도 우리는 이미 10개점의 매장을 멜버른과 시드니, 브리즈번에 오픈했고 월매출도 2자리수를 보이고 있었다. 모든 것이 순조롭게 진행되고 있었으며 법인에는 다른 브랜드도 런칭하게 되었다. 새로운 주재원으로 존이 왔고 법인장 라인도 브랜드의 런칭으로 바빠지기 시작했다. 우리는 호주에서 꽤 유명한 한국브랜드로 알려지기 시작했고 2개의 추가매장도 준비하고 있었다. 그렇게 잠잠하던 어느 날 큰 이슈가 아닐 것이라고 생각했던 COVID-19가 전세계에 영향을 미치기 시작했다.

2019년도 COVID-19로 인해 호주 정부는 강력한 락다운 규제를 시작했다. 1-2명의 확진자가 발생하게 되면 도시 전체를 락다운했다. 호주 정부의 이 당시 판단은 규제를 통해서 호주만은 코로나의 전파를 막을 수 있다고 생각했다. 국가 내에서도 이동을 금지했고 국제선도 전면 중단하는 강력한 규제를 펼친 것이다. 쇼핑몰은 락다운으로 운영이 불가했고 우리의 매출은 순식간에 하락하기 시작했다. 정부의 월세 보조금이 있었지만 그것으로는 법인의 손해를 만회할 수 없었다. 락다운이 풀리고 다시 규제를 반복했으며 추가로 진행하기로 했던 13호점부터 모든 오픈을 중단할 수 밖에 없었다.

본사와 싱가폴법인에서는 매주 긴급회의를 진행하고 있었고 회사의 전략방향이 모두 수정되고 있었다. 오프라인 위주의 매장은 최소화하고 디지털 트랜스 포매이션을 통해 온라인 쇼핑몰에 입점 및 멀티브랜드샵 입점으로 전략 방향을 전면 수정하고 있었다. 오프라인 매장을 많이 오픈한 나는 어느 순간 영웅에서 역적으로 낙인 찍히기 시작했다. 본사와의 회의를 진행하면 한숨이 나왔다. “호주는 도대체 왜 이렇게 빠르게 오픈한거야?” 임원들은 전략 방향이 바뀌는 순간 성실하게 회사 전략을 이행해 오프라인 매장을 빠르게 오픈한 나를 탓하기 시작했다. 전략은 내가 세운 것이 아니라 본사의 글로벌 전략 방향을 따라서 진행한 것이고 외부 영향인 코로나로 인해서 전체 회사의 전략 방향이 수정되면서 내가 진행했던 것들은 매우 나쁜 것이 되어있었다.

더 이상 호주에서 비즈니스를 진행하기 싫었다. 하지만 나와 함께한 직원들이 있었기에 회사의 변경 전략에 따라 유명 멀티브랜드샵과 동종업계 최고의 온라인 쇼핑몰도 오픈하였다. 하지만 오프라인 매출을 만회하기에는 역부족이었다. 오프라인 매장은 투자를 많이 했기 때문에 매출이 나오지 않자 손익에 큰 영향을 미쳤다. 코로나 사태가 심해지면서 쇼핑몰은 장기간 문을 닫게 되었고 본사는 매장 이익을 문제삼기 시작했다. 매출이 나오지 않지만 쇼핑몰의 월세는 계속해서 지급되고 있었다. 쇼핑몰과 정부에서 일부 손해를 보전해 주기는 했지만 매장 감가상각비 및 직원 급여도 이슈가 되는 요소였다.

본사에서는 미국과 캐나다의 오프라인 매장을 엄청난 위약금을 주고 폐점하였고 호주도 매출이 더 이상 발생하지 않으면 미국과 캐나다의 수순을 밟을 수도 있었다. 우리의 매장도 폐점을 할 수 있다는 불안감이 왔지만 우리가 할 수 있는 일은 빨리 코로나 사태가 끝나고 정상적인 쇼핑몰 운영이 되도록 기도하는 것뿐이었다.

[episode 68 tip]

직장생활에서 여러분은 내부적인 이슈 때문이 아니라 외부의 영향을 받아 좋지 않은 결과를 만들 수 있다. 코로나 이슈와 같은 외부 환경은 여러분이 해결할 수 없지만 여러분과 협력하고 있는 외부의 에이전시와 공급업체에서 발생할 수 있는 도덕적해이는 미리 예방 할 수 있다. ESG를 공부해 보시면 아시겠지만 요즘은 2-3차 공급업체도 지속가능한 경영을 하도록 공급망을 교육하고 지원해야 한다. 협력하는 에이전시와 공급업체에서 비윤리적인 경영 또는 이슈가 발생했을 때 여러분의 회사도 큰 타격을 입을 수 있으므로 많은 관심과 지원을 통해 철저한 공급망의 관리가 필요할 것이다.

Episode 69. 감옥생활 8개월과 우울증

재택근무의 나날이 지속되고 있었다. 대면회의는 전부 온라인 줌 회의로 대체되었고 집에서 생활하는 시간이 장기화되고 있었다. 호주정부의 강력한 규제에도 불구하고 코로나 확진자는 점점 더 늘어가고 있었다. 호주 정부의 규제는 더욱 강화되어 쇼핑몰은 전면 영업중단을 하게 되었다. 거주지역에서 5km 이상은 이동이 불가능했고 하루에 1시간 운동을 위한 목적으로 거주지 인근 공원 외출이 가능하였다. 건강상의 이유로 병원방문과 마트 방문을 제외하고는 외출이 완전 불가능했고 마트 방문시에도 1인 외출만 허락이 되었다. 한마디로 집에서 감옥생활을 경험하게 된 것이었다. 7개월간 쇼핑몰의 매출이 전혀 발생하지 않게 되었고 싱가폴 법인의 압박은 계속 되었다. 외부에서 발생한 이 문제는 개인의 힘으로는 도저히 해결할 수 있는 방법이 없었다. 글로벌 국가들 대부분이 큰 타격을 입고 있었지만 국가에 따라 매장을 여전히 오픈하고 운영할 수 있는 국가도 있었다. 하지만 호주는 모든 리테일 샵이 오픈 할 수 없었기에 나의 스트레스는 극에 달했다. 장기화된 재택근무로 예민해진 니키, 마기, 섬머, 사이먼 사이에 불화가 찾아왔고 이러한 것들과 함께 많은 불만을 표시하기 시작했다. 외출도 불가능했고 답답한 마음과 스트레스를 풀기위해 저녁이 되면 주류를 사서 혼자 집 옆 분리된 공간 차고에서 혼자 술로 마음을 달래고 있었다. 해서는 안 되는 행동은 지속되었고 마음은 점점 힘들어지고 있었다. 우울증이 오기 시작한 것이었다. 중국에서도 우울증을 느끼기는 했지만 이전과는 다른 우울한 마음이 들기 시작했다. 호주 비즈니스의 실패가 모두 나의 실수인 것 같았고 회사에서 실패자라는 자책감이 들었다. 모든 것이 의미 없는 것 같이 힘든 나날이 지나가고 있었고 생각하지 말아야 할 생각까지 하게 되었다. 하지만 어린 아이린과 자이온에게 부끄러운 아빠가 되지 말아야 한다는 생각에 정신이 번쩍 들었다. 다음날 아침 와이프와 상의 후 KK에게 전화를 했다. " 최대한 빠른게 정리해서 한국본사로 복귀하고 싶습니다" 4년의 주재원 기간을 다 채우지 않고 3년 7개월로 마무리하겠다는 결정을 통보했다. 호주와 중국에서 10년간의 해외생활을 이제는 끝내고 싶었다. 나를 살리기 위한 결정이었던 것이다.

[episode 69 tip]

여러분도 직장 생활을 하면서 여러가지 고통이 올 때도 있고 우울한 기분을 경험할 수도 있다. 저자가 돼지우리를 탈출해야 한다고 확신한 이유는 회사에서 근무하는 것이 더 이상 행복하지 않고 우울함을 느꼈기에 연봉 1억 회사를 박차고 나온 것이다. 돼지 우리 안에서 생활이 당연히 행복할 수는 없겠지만 직장 생활로 인해서 자신이 망가지고 있다고 지금 느끼고 있다면 돼지우리를 탈출하라고 얘기하고 싶다. 탈출의 두려움 때문에 여러분의 인생 전체를 망쳐서는 안 될 것이다.

Episode 70. 호주 법인장? 그리고 대만

법인장 라인을 만나서 한국 복귀 사실을 알렸다. 직원들에게도 미리 이 사실을 알리려 했지만 법인장은 직원 전체를 소집해서 본인이 얘기하겠다고 하였다. 나를 대신할 주재원없이 우리 브랜드의 업무도 이제 라인이 맡게 되었고 우리 브랜드의 직원들도 이제 라인이 직속 상관이 된 것이었다.

본격적으로 한국복귀를 준비하려고 할 때 KK에게서 연락이 왔다. 정확한 이유는 모르겠지만 본사에서 라인과 나를 두고 법인장 결정을 한다는 것이었다. 아마도 싱가폴에 계신 지사장이 라인의 서구식 업무처리 방식에 만족하지 못했고 매출 규모가 큰 브랜드를 관리한 나를 전체 법인장으로 추천한 것 같았다. 결과는 당연히 라인의 승리였다. 그녀를 채용한 인물이 그룹사의 임원이었고 그들이 채용했던 사람을 포기하고 나를 법인장으로 선택하면 그들이 이전에 했던 채용이 실수라는 것을 인정하는 것이었다. 이 당시에 저자는 직장 생활에서 운이 없다고 생각했다. 팀장 승진에도 실패했고 법인장으로의 기회도 있었으나 무산되었다. 하지만 지금 생각해보면 매우 운이 좋았다. 이 이유에 대해서는 책 마무리 부분에서 다시 얘기하겠다.

HR에서는 대만의 로버트를 본사 팀장으로 이동시키고 나를 대만으로 보내겠다는 새로운 계획을 알려주었다. 나는 3일간의 생각할 시간을 요청했다. 대만 주재원으로 가게 되면 우리 아이린과 자이온은 국제학교를 다닐 수 있을 것이고 와이프는 새로운 해외 생활을 즐길 수 있을 것이다. 3일의 시간이 지나가고 와이프와 최종 상의 후 HR팀장에게 본사 복귀 결정을 전달했다. 나의 몸과 마음은 이미 지쳐 있었고 또 다른 주재원으로 해외생활을 할 수 없을 것 같았다. 이제는 돌아갈 시간이 왔다고 결정했고 우리는 이사준비와 물건 정리를 시작하고 있었다.

[episode 70 tip]

우리가 직장 생활을 해야 하는 것은 가족들에 대한 책임감과 의무 때문일 것이다. 경제적인 상황과 현실을 생각하지 않을 수 없기 때문에 우리는 어려운 직장 생활을 지속하는 것이다. 여러분의 직장이 안정적인 곳이라 60세이상까지 정년이 보장되며 급여도 높은 직장이라면 안정된 돼지우리에서 계속 지내는 것이 훨씬 나은 결정일 것이다. 하지만 최근의 많은 기업들이 20년 이상 근무한 직원들에게 희망퇴직을 권유하는 경우도 많다. 경제적으로 가족들이 어려움을 겪지 않을 상황을 미리 준비하고 여러분 자신의 경쟁력을 높이도록 투자해서 여러분 스스로 돼지 우리를 탈출할 느낌이 왔을 때 제2의 인생을 한 번 도전해 보기를 권한다.

# 제4화 새로운 시작

Episode 71. 한국으로의 복귀

법인장의 긴급 소집으로 모든 직원들이 모였고 라인은 나의 한국복귀 사실을 알렸다. 전체 회의 후 브랜드 직원들을 따로 불러서 그 동안 같이 함께한 동료들에게 감사함을 전했다. 마기는 나의 복귀 소식을 듣자마자 눈물을 계속 흘리고 있었다. 4년을 함께 했던 직원들을 모두 집으로 초청해서 마지막 식사를 하였다. 우리는 같은 브랜드를 키워온 동료이자 친구, 가족이었다.

한국으로 복귀하면 가족들은 와이프가 복직하는 부산으로 가게 되었고 나는 본사가 있는 서울로 오게 되었다. 한달 간 임시로 거주할 단기 호텔에서 생활하게 되었다. 본사로 돌아가게 되면서 회사를 퇴직할 것인지, 계속 다닐 것인지에 대해서 결정하고자 하였다. 한달 동안 근무를 해보면서 돼지우리를 탈출할지 더 꿀꿀이 죽을 먹을지에 대해서 고민하겠다는 것이 나의 계획이었다. 본사 복귀 후 글로벌 전략팀으로 발령이 났고 호주 담당업무와 오프라인 관련 업무를 담당하게 되었다. 팀의 팀장은 나보다 6개월 후배인 캐나다 주재원 출신이었다. 우리는 서로를 존중하는 관계였기 때문에 후배인 팀장도 나를 함부로 대하지 못했다.

10년만에 돌아온 본사 근무 환경은 너무 좋았다. 우리는 자율근무제를 시행했기 때문에 하루 8시간 근무로 근무시간 조정이 가능했다. 본사에서 근무하는 직원들을 한달간 유심히 살펴보았다. 대부분 직원들의 업무도 그렇게 많지 않아 보였고 매우 자유로운 분위기에서 근무하고 있었다. 결국 돼지우리 생활을 2년간 더 하기로 결정하였고 이 기간동안 근무하면서 한국에서 내가 해야 할 나만의 비즈니스와 목표를 찾기로 계획하였다. 그리고 2년간의 회사생활을 하면서 외부에서 내가 할 수 있는 일이 무엇일지에 대해서 계속되는 고민을 하게 되었다.

복귀 후 3개월이 지나는 시점에 나는 MBA를 갈 결심을 하게 된다. 부산에 있을 때는 지역적 거리와 경제적 여유가 없어서 MBA 지원은 엄두도 내지 못했다. 그리고 해외에서 10년간 주재원으로 있었기에 개인적 발전을 위해서 투자할 시간도 부족했다. 본사에서 가족들과 떨어져 근무하면서 동시에 2년과정의 석사학위를 취득하는 목표를 가지게 되었다. 잘 준비해서 K대학과 Y 대학 두 곳을 지원하였고 다행히 K대와 Y대 두 곳 다 합격하여 결국 Y대 MBA로 진학하기로 결정을 하게 된다. 2년동안 8시에 출근했고 5시 30분에 근무를 마치고 저녁 7시부터 10시까지 수업을 들으며 주말에는 시험공부와 리포트를 제출을 준비하였다. 열정이 생겨나는 새로운 삶이 시작된 것이었다.

[episode 71 tip]
직장 생활을 하는 것과 동시에 여러분은 자기 개발에 집중해야 한다. 회사가 당신의 미래를 책임지지 않는다. 여러분이 공부에 뜻이 있다면 대학원을 추천하며 사회활동에 뜻이 있다면 관심있는 학회나 협회 등에 참가해서 활동하시길 추천한다. 회사 외부에는 다양한 사람들이 존재하고 여러분이 관심있는 분야에 활동하는 다양한 사람을 만남면서 자연스러운 자기 개발을 하게 될 것이다.

Episode 72. MBA 새로운 도전

MBA를 다니면서 삶의 활력이 생기기 시작했다. 다양한 기업에서 근무하는 원우들을 알게 되면서 네트워크가 넓어졌고 세상에 똑똑한 사람들이 정말 많다는 사실을 깨닫게 되었다. 평일에는 저녁 7시부터 10시까지 주 3회 학교를 다녀야 했고 계절학기는 필수였기 때문에 주말에도 과정을 들어야 했다. 1년에 2개월을 빼고는 회사와 학교를 병행해야 했다. 중간고사와 기말고사를 비롯해 프로젝트 발표 수업이 많아 자료를 준비하고 발표하는 것이 매우 힘들고 어려운 부분이었다. 대부분의 원우들이 우리가 들으면 알만한 회사의 직장인이었지만 일부는 개인기업 대표, 변호사, 의사 심지어 A항공사 부기장도 있었다. 회사를 다니면서 학교를 다니는 것이 힘들었지만 학기가 지날수록 성취감이 늘어났고 회사 생활의 무료함을 MBA에서 충족시키고 있었다. 우리 학교의 경우 리더십과정과 해외연수 과정이 있는데 리더십 과정은 등산과 제주에서 환경활동 등을 진행했고 3학점 이상을 필수로 이수해야 했다. 영어수업 또는 해외연수 과정을 통해 1.5학점 이상을 영어과정을 이수하고 전체 45학점을 충족하게 되면 졸업이 가능했다. 모든 일에서 처음이 힘들듯이 1학년 1학기가 가장 힘들었고 2학년 2학기는 이미 많은 과정을 이수해서 10월말이되어 졸업에 필요한 모든 학점을 이수할 수 있었다.

보통은 MBA를 인적네트워크를 위한 모임으로 알고 있는데 반은 맞고 반은 틀리다고 얘기하고 싶다. MBA 원우들은 대부분 직장인이기 때문에 저자의 시각에서는 큰 도움을 받지 못했다. 물론 이후에 우리가 사회에서 활동을 하면서 어떤 도움을 주고 받을지는 아직은 모를 일이다. MBA는 경영전문대학원에 소속되어 전문 석사과정으로 쉽지 않은 수업과정을 이수해야 졸업이 가능하다는 것을 인지하고 지원해야 한다. 한과목당 출석을 3회 이상하면 F학점이 부여되고 우리 학교는 필수과목을 반드시 들어야 하기 때문에 성실함과 열정이 없다면 추천하지 않는다. 학비는 한학기에 1,100만원 정도이고 원우회비와 여러가지 비용을 생각하시면 졸업까지 약 5천만의 비용이 발생한다. 높은 비용에도 불구하고 저자는 MBA를 통해 만난 소중한 인연과 교육에 대한 재미를 알게 되었으며 여기에 투자한 개인 비용이 절대 아깝지 않았다.

[episode 72 tip]

많은 회사에서 MBA 비용을 지원하고 있다. 여러분의 회사에서 MBA 지원이 가능하다면 적극적으로 지원을 받아 공부하시길 추천한다. 많은 회사에서 전액 지원 또는 50% 이상 지원을 통해 내부 인재를 양성하고 있다. 회사에서 지원을 받을 수 있다면 여러분은 학비 걱정없이 개인의 역량을 무료로 발전 시킬 수 있는 기회이니, 기회를 꼭 잡아 보길 바란다.

## Episode 73. 새로운 인연 Dr. Park

호주 사전출장으로 서로 더욱 가까운 사이가 된 스티븐은 필리핀 주재원으로 약 2년간 근무하였다. 여러가지 이슈가 발생하여 그는 나보다 먼저 본사로 복귀해서 글로벌 전략팀에서 근무하게 되었다. 스티븐은 회사 외부 인맥이 넓은 한마디로 마당발이었다. 스티븐과 점심식사를 하면서 알게 된 것은 그가 글로벌 관련 책을 공동저자로 출판했다는 것이었다. "형! 정말 대단하신 것 같아요. 저도 책 출판이 인생 목표인데 너무 축하드려요" 축하의 인사를 전하면서 많은 내용을 들을 수 있었다. 책의 주 저자인 Dr. Park은 서울 모 대학의 교수로 재직하고 있었고 우리와 같이 주재원의 경험이 있었다. 스티븐에게 부탁해서 그를 꼭 만나고 싶었다고 얘기했다.

나의 끈질긴 부탁에 추운 겨울 삼각지역 근처 레스토랑에서 그를 만날 수 있었다. 그는 호탕한 성격과 화법이 나와 비슷한 면이 많았다. 대학을 졸업하고 대기업에서 근무하며 중국에서 주재원 생활을 한 후 석박사학위를 취득하고 현재는 학자의 길을 걸어가고 있었다. 지난 경험들은 나와 비슷했고 내가 원하는 삶의 길을 이미 걷고 있는 인생의 멘토를 우연히 만나게 된 것이었다. 우리는 그 이후에도 만남을 지속적으로 이어갔고 그의 소개를 통해서 학회에도 가입하게 되었다.

교육과 관련된 학회 활동은 나에게 MBA에서 만나는 인연과는 또다른 삶의 시각을 넓히게 해주었다. 학회 활동으로 만난 다양한 교수들과 기자, 컨설팅업체, 출판사 대표들을 만나면서 나의 시각이 점점 바뀌기 시작했다. 원래 저자는 공부에 그렇게 큰 뜻이 없었지만 학회 활동이 인생의 목표를 점차 바꾸기 시작했다. MBA 졸업 후 박사학위를 받아 학자의 목표를 가지게 되었고, 이와 더불어 강의, 비즈니스 컨설팅에도 관심을 가지게 되었다. 저자는 다른 사람 앞에서 강의하는 것을 불편해하였지만 이 당시의 목표 변경으로 기회가 되면 특강과 MBA 발표 준비를 통해 부족한 부분을 채우기 위해 노력했다.

지금 와서 돌이켜 생각해 보면 DR. Park을 만난 것이 내 인생의 전환점이 된 것이다. 그를 통해서 또 다른 새로운 인연을 만나게 되었고 그들에게서 선한 영향력을 받으며 제2의 인생의 목표가 점점 수정되기 시작하였다. 그를 만나지 않았다면 아마도 여전히 회사에서 인생의 방향을 잡지 못하면서 여러분들이 현재 고민하는 삶을 지금도 살고 있을 것이다. MBA 졸업을 앞두고 늦은 나이였지만 새로운 도전을 준비하게 되었다. 그 도전을 성공하기 위한 중요한 결정의 시간이 다가오고 있었다.

[episode 73 tip]
여러분의 관심사에 도움이 되는 외부 인맥이 생긴다면 빠르게 그들을 만나봐야 한다. 여러분들은 과중한 업무와 부족한 시간을 핑계로 인생에 도움이 될 수 있는 외부인맥을 잘 만나지 않는다. 항상 회사 내에서 선후배와 만남에 치중하고 있다. 회사 내부에서 만나는 대부분의 사람들은 여러분의 인생에 큰 영향을 미칠 수 없다. 여러분이 관심있는 분야의 사람을 만나야 그들에게서 선한 영향력을 받을 수 있다. 그리고 이러한 인적네트워크는 거미줄처럼 이어질 수 있다. 한 사람의 중요한 사람을 인생에 만나게 되면서 20명 이상의 새로운 네트워크를 형성하고 그 20명의 네트워크과 100~200명으로 확대될 수 있을 것이다. 여러분이 모르는 새로운 세상이 돼지 우리 밖에 있다. 여러분의 인생을 바꿀 수 있는 멘토를 반드시 찾아야 한다. 그래야 여러분의 인생의 목표가 변화되고 실제적으로 도전을 할 수 있는 용기가 생길 것이다.

## Episode 74. 이스케이프 호그팬

2023년도 가을이 이미 지나가고 있었다. 가을이 지나면서 이제는 돼지우리를 탈출하겠다는 확고한 결심을 하게 되었다. 부모님과 가족들에게 미리 이 사실을 알렸고 12월말을 기점으로 퇴사를 결심하였다. 사실 저자는 회사에서 앞으로 5년이상 근무할 수 있는 연차이고 회사 내에서 나를 바라보는 시각은 나쁘지 않았다. 하지만 회사를 나갈 결심을 한 이유는 회사 5년을 더 다닌 후에 50을 넘은 나이에 과연 내가 외부에서 무엇을 할 수 있을 것이며 지금 이직해서 다른 회사를 가더라도 돼지우리의 삶을 잠시 연장할 뿐이라는 사실이었다. 과감한 결단이 필요했고 나는 나를 위한 새로운 목표를 설정하게 되었다. 그리고 표현하고 생각한 것을 실행으로 옮기고 있었다. MBA 졸업 후 일반대학원 박사학위를 받기 위해 K대에 지원하였고 대학에서 학생들의 강의를 가르치는 것을 준비하고 있었다. 또한 강의와 비즈니스 컨설팅을 하는 기업을 설립하는 제2의 삶을 준비하고 있었다.

퇴사 전 인수인계를 배려해서 12월 초 퇴직을 통보하였다. 한번도 회사를 이직한 경험이 없었는데 퇴직절차는 매우 간단하였다. 회사 입사를 하기는 어려웠지만 퇴사는 너무 쉬웠다. 퇴직 통보 후 1주일 동안 마음이 싱숭생숭하였다. '내가 과연 선택한 길이 맞는 것인가' 17년간의 회사생활에 미련이 남지 않을 수 없겠지만 퇴사 통보 후 더 좋은 일들이 생기기 시작했다. 적지 않은 나이에 K대 박사과정을 합격하게 되었고 대학교에서 소중한 강의도 할 수 있게 되었다. 퇴사일 바로 다음날 사업자 등록증을 발급하고 홈페이지를 만들고 홍보를 시작하였다. 지금 여러분이 읽고 있는 이 책도 블로그를 통해 연재했던 내용들을 정리하고 새로운 에피소드를 만들면서 약 3주만에 완성된 것이다. 이 책은 여러분에게 회사를 나와서 성공하는 저자의 모습을 보이기 위해 쓴 글이 아니다. 저자의 회사 경험을 공유하고 여러분의 아픈 마음을 위로하고 용기를 주기 위해서 이다. 저자의 앞으로의 성공은 장담할 수 없다. 하지만 생각했던 목표를 실행하고 실천하고 있다. 성공의 정의가 무엇인가? 당신이 하고 싶은 일을 하는 것이고 꿈을 꾸는 삶을 사는 것이라 필자는 정의하고 싶다. 여러분의 인생은 한번 뿐이다. 그 한번 뿐인 인생에서 제1막인 돼지우리 생활을 잘 이겨내고 제2막인 돼지 우리 밖에서의 생활을 잘 준비해서 꿈을 가지시기를 바란다.

[episode 74 tip]

생각과 말로는 아무런 결과물을 얻을 수 없다. 실행하는 삶을 살아야 성공과 실패의 결과를 경험할 것이다. 물론 생각과 말을 자주 하게 되면 나중에는 실행의 단계로 발전 시킬 수 있기 때문에 필자는 항상 주변사람에게 계획한 내용을 애기하였다. 이것은 자랑하기 위한 것이 아니라, 나와의 약속을 실천하기 위해서 주변사람에게 나의 의견과 생각을 표현한 것이다. 그들에게 한 애기가 아니라 나 자신에게 계획을 실천하라고 말한 것이다. 여러분도 생각하고 표현하고 실천하시는 삶을 살아가길 기원 드린다.

## Closing 맺음말

저자가 이 책을 통해 여러분에게 말하고 싶은 것은 무조건 돼지 우리를 박차고 나오라는 것이 아니다. 여러분이 각자 처한 현재의 경력과 경제적 상황이 다르겠지만 제2의 인생을 위해 미리 준비해야 한다는 것을 말하고 싶다. 또한 직장생활에서 여러분이 어려움을 느낄 때 필자의 17년간의 직장 생활의 경험을 읽고 조금이라도 위안이 되길 바라는 마음이다. 필자는 지난 경험을 통해 여러분이 현재 회사생활에서 겪는 고통과 어려움을 너무나 잘 알고 있다. 때로는 포기하고 싶고 때로는 무너지기도 할 것이다.'이 또한 지나가리라' 는 믿음을 가지고 참을성과 끈기를 가진다면 회사 생활에서 발생하는 고난을 슬기롭게 극복할 것이다.

반복해서 애기하지만 여러분이 제2의 인생을 꿈꾸기 위해서는 외부의 다양한 사람들과 교류하길 바란다. 회사 안에서는 여러분의 인생에 도움을 줄 수 있는 인맥이 한정되어 있다. 새로운 방향과 새로운 목표를 가지기 위해서는 다른 사람의 도움을 반드시 받아야 한다. 외부와 소통할 수 있는 기회를 열어놓으면 여러분의 인생에 꼭 도움을 줄 수 있는 귀인을 만날 수 있을 것이다.

마지막으로 여러분이 사랑하는 가족에게 최선을 다해야 한다. 돼지 우리 안에서 힘들지만 우리가 참고 견디는 것은 가족을 위한 사랑과 책임감 때문일 것이다. 회사생활의 고통과 어려움으로 가족에게 불행을 끼치면 안 된다. 미래에 행복에 투자하지 말고 현재에 행복에 투자해서 지금의 가족에게 충실하고 행복한 삶을 살아 가시길 바란다.